FLOWER-
WORLD
Een weg naar de bloemsierkunst
A road to floral art

Decoratieve boog

In een stijlvolle Mobach-vaas rust op een vorm van takken een waaiervormige boog. Op de staande takken is eerst een boogframe van takken bevestigd. Daarna is *Clematis* aangebracht en vervolgens *Celastrus*. Gebruikte materialen: *Cornus alba* 'Sibirica', *Clematis*, *Celastrus orbiculatus*, *Hydrangea* en *Galax urceolata*.

Decorative Arch

A stylish Mobach vase displays a fan form of branches. Attached to the standing branches, an arch frame of twigs has been fastened, followed by *Clematis* vines and subsequently *Celastrus*.
Materials used are: *Cornus alba* 'Sibirica', *Clematis*, *Celastrus orbiculatus*, *Hydrangea* and *Galax urceolata*.

Aad van Uffelen

FLOWER-WORLD

Een weg naar de bloemsierkunst
A road to floral art

Fotografie/Photography
Jan van der Loos
Sudipa
Aad van Uffelen

Vertaling
Translation
Tom Colin

TERRA

Sfeerbeeld

Een ruimtelijke sfeer en een diepere dimensie
in een wazig, zichzelf herhalend beeld van bloemen,
eindeloos ruimtelijk.
Gebruikte materialen: *Rosa, Iris, Allium, Cyperus* en *Kochia.*

Ambience

A spacious atmosphere, a deeper dimension,
veiled in a hazy, repeating image of flowers,
infinitely spacious.
Materials used are: *Rosa, Iris, Allium, Cyperus* and *Kochia.*

Inhoud Contents

Verleiding

De klassieke bronzen Ikenobo-vaas laat zich ook verleiden tot een eigentijds bindsel van elegante ranken en daarin gehangen bessentakjes.
Gebruikte materialen: Oasis biosec, takken, *Hedera*, gedroogde bessen, metaaldraad.

Temptation

The classic bronze Ikenobo vase, temptingly displays a contemporary design of elegantly twisted vines, to which berry branches have been attached.
Materials used are: Oasis biosec, branches, *Hedera*, dried berries, industrial wire.

VOORWOORD

Dit boek wil verscheidenheid aanreiken in vormgeving van bloemsierkunst. Het gaat in op vorm, kleur, design creativiteit en emotie. Het stelt vragen over het ontwerpproces, over invloeden van het verleden en het heden. Wat zijn de elementen van design, van bloemsierkunst-stromingen? Hoe ontplooit zich talent, hoe ontwikkel je dat? Het gaat over kritisch leren kijken, over het waarnemen van de dingen om ons heen, natuur, kunst en cultuur. Oog hebben voor het eigene van het materiaal. Het gaat ook over streven naar perfectie. De vraag is gesteld hoe de verschillende ontwerpfactoren of designelementen een samenhangende rol kunnen spelen in het geheel van het arrangement. Daarbij rekening houdend met het eigene, originele, andere van de individuele bloemsierkunstenaar. Het gaat er uiteindelijk om dat ieder zelfstandig leert kijken, beslissen en vormgeven. Er moet in het werk een zekere orde, maat en verhouding aanwezig zijn om een goede 'Gestalt' te zijn! In elk goed ontwerp zit logica en is een bepaalde hiërarchie ontstaan. Wat is het belangrijkste, wat is dominant, en wat is ondersteunend of maakt het tot een geheel? Hoe kunnen we confronteren, een enkelvoudige harmonie of juist meervoudige contrasten visualiseren? Probeer eens het schijnbaar onverenigbare te verenigen en durf het aan om botsende beeldvlakken af te wisselen met de aangename harmonie van het bekende. Altijd zal het gaan om het creëren van een bepaalde eenheid. Zuinigheid of barokke passie kunnen alleen of beide rolbepalend zijn, hoe passen we het toe? Waar liggen de raakvlakken van de decorateur en de bloemsierkunstenaar? De natuur is nog altijd onze belangrijkste leermeester. We moeten er dus zelf op uit om de geheimen daarvan te ontdekken. Een ieder kan in de bloemsierkunst 'een individuele weg', 'een eigen richting' vinden. Het gaat om 'Tao', dat zoveel betekent als "de weg van en leven met de natuur". Communiceren via de schoonheid van bloemen en het karakter van het bloemwerk is de uitdaging. Een avontuur in bevrediging-scheppende creativiteit. Geen saaie eenvormigheid of een eindeloos zichzelf herhalen, maar juist afwisseling en een onverwachte vitaliteit zijn mijn filosofische drijfveer en visie. Dit boek is een aanzet daartoe.

FOREWORD

This book is an attempt to show the diversity and the development of form and design in floral art. It discusses form, colour, design, creativity and emotion. It also questions the process of design as well as the influences of the past and present. What are the elements of design in floral art movements and trends? How does one develop talent and how does one cultivate it? It means that we need to learn the importance of training our eyes to see critically, to observe the things around us such as nature, art and culture. To develop an eye to see the essence of the material and always strive for perfection. The question is often asked how the various factors in the design process can connect and support the many design elements in the total composition. We must, therefore, consider the individuality, originality and uniqueness of the individual floral artist. It means that everyone learns to see independently, to make decisions and create an arrangement. Each design should possess a certain order, measure and proportion to conform to the 'Gestalt' rules of visual organization. Each well designed arrangement contains a certain degree of logic and hierarchy. What is the most important element, what is dominant and what is supportive to make it a whole? How do we approach a singular harmony or visualize a multi contrasting one? It takes courage to try to combine obviously clashing elements alternately with traditionally agreeable ones. We always strive to create a certain degree of unity. Simplicity or baroque passions, alone or by themselves, can play a role. How do we apply them? What are the strengths, interests and motivation of the decorator and floral artist? Nature is our most important teacher. We have to go out into the woods and fields to discover her secrets. Everyone who practices floral design will be able to find his own individual method and direction to success. 'Tao', the Japanese word meaning "to walk the way of life with nature", says it all. To communicate with the beauty of flowers and the characteristics of a floral design is the ultimate challenge; an adventure in a satisfying and creative process. No mundane and repetitive types of arrangements, but variety and unexpected vitality in design is my philosophical motive and vision. This book hopes to achieve this.

Aad van Uffelen

Plezier in bloemsierkunst

De bloemsierkunst heeft zich gedurende vele achter ons liggende eeuwen ontwikkeld tot wat zij ons heden ten dage aan creatieve mogelijkheden biedt. Waar komt zij vandaan; tot waar gaan de wortels in het verleden terug; hoe heeft zij zich ontwikkeld; hoe ontplooide zij zich in verschillende landen; waar ontwikkelt zij zich naar toe? Vragen genoeg, maar antwoorden zijn niet altijd eenvoudig voorhanden en soms niet te geven zonder in gefantaseer te verdwalen.
Het belangrijkste aspect van de hedendaagse bloemsierkunst is wellicht de ongekende mogelijkheid tot vrije expressie en een persoonlijke creatieve ontwikkeling. Als vormgevende begrippen zoals compositie, kleur en materiaal zich samen verhouden tot een boeiend, onverwacht geheel, dan kunnen we vaak van een kunstvorm spreken. In veel gevallen stijgt het samenvoegen van bloemen, blad, takken, ondergronden e.d. niet uit boven een ambachtelijk product — goed of slecht. Toch kan ook dit een hoogstaand niveau bereiken en een kunstzinnige hoedanigheid uitstralen. Nog vaak echter is middelmaat troef. Bloembinders doen er goed aan te kiezen voor de beste opleiding en zich te richten op creatieve, esthetische en vaktechnische ontwikkeling. Vakmotivatie, innovatiedrang en het streven naar perfectie zijn essentieel. Het hebben van een diploma garandeert niet altijd kwaliteit. Men moet zichzelf bewijzen! Verrassend zijn ook het enthousiasme en de vaak hoogstaande creativiteit van vele amateurbloemschiksters-(kers). Internationaal zien we fraaie prestaties op tentoonstellingen, wedstrijden en demonstraties.
Vrijwilligers en professionals werken vaak op voorbeeldige wijze samen in een wereldwijd bloemsierkunst-netwerk. Aanstekelijk werkt de vreugde en het gevoel van saamhorigheid tussen de vele nationaliteiten. Bloemschikken (bloemen in het algemeen) blijkt een soort bindmiddel te kunnen zijn tussen mensen. *Friendship through flowers* is een gevleugeld begrip geworden. De vele publicaties in de vorm van boeken of artikelen geven mede aan hoe populair het schikken van bloemen is. Dit geeft ons enigszins een beeld van de brede waardering voor bloemsierkunst. Zeker in de moderne wereld, waarin het lijkt of niemand meer tijd heeft, is het schikken van bloemen een ontstressend rustpunt, waarmee zelfs meditatief of religieus een hoger doel kan worden nagestreefd. Het brengt harmonie en plezier in ons leven. Bloemsierkunst heeft zich een terechte plaats verworven in de gemeenschap en in onze cultuur.

Bloemsierkunst kan leiden tot een zekere emotionaliteit, het kan mensen meeslepen in een boeiend spel van vormen en kleuren. Dit kan mensen een gevoel geven van geluk, blijdschap of zelfs van verdriet. Het werk wordt dan puur en spontaan. Vooral spontaniteit is een van de pijlers van gedreven bloemsierkunst, het moet 'echt' zijn, het bloemschikken mag niet leiden tot een routinematige klus die moet worden geklaard. Routinematig schikken is dodelijk voor de creativiteit van het werk. Technische en vormgevende perfectie is een doel dat zeker moet worden nagestreefd. Als bloemsierkunstenaar moet je in je werk je nek durven uitsteken in een uitdagende florale vormgeving, je moet de confrontatie aangaan. Het is goed om in dit verband de oproep in herinnering te brengen van de architect Robert Venturi, die in 1962 in zijn manifest tegen de Internationale Stijl stelde "de voorkeur te geven aan een rommelige vitaliteit boven opgelegde saaie eenvormigheid".

The joy of flower arranging

Floral art has developed throughout the ages and has provided us ample opportunities to be creative. What is the origin and where did the roots of the past stem from? How did floral art develop and how did it flourish in different countries? Where does the future of arranging lie? Enough questions, but answers are not always readily available without landing into the realm of fantasy. The most important aspect of today's floral art lies in the unprecedented possibility of free expression and personal creativity. When design concepts such as composition, colour and material are combined to create a fascinating and unexpected whole, we can often speak of a floral art form. In many cases flowers, foliage, branches and bases are grouped together in an unimaginative arrangement. Yet, it is possible that this arrangement can be elevated to a higher plateau and be able to radiate an artful appearance. Often, it is the average common denominator that prevails. Every flower arranger would be smart to opt for the best possible training and focus on the creative, esthetic and technical skills. Vocational motivation, a craving for innovation and a striving for perfection are essential. A diploma does not always guarantee quality. Designers must prove themselves! The enthusiasm and super creativity of many amateur flower arrangers is often surprising. Internationally we are witnessing beautiful floral displays at exhibitions, competitions and demonstrations.
Amateurs and professionals often work together cooperatively as a team in a worldwide network of floral art. The joy and feeling of solidarity between many nationalities engaged in such an endeavour is contagious. Flower arranging and flowers in general are like the glue that binds people together. Friendship through flowers is a well respected phrase. The many publications in the form of books, magazines and articles confirm the popularity of flower arranging. This gives us somewhat of an idea of the wide appreciation of floral art. Certainly, in the modern world, when it seems that no one has any time and feels overwhelmed, flower arranging has a de-stressing effect. Indeed, flowers may be used as a meditative medium or used for religious purposes to attain a higher or spiritual goal. It brings harmony and pleasure in our lives. Floral design has become mainstream in our society and culture.

Floral art can trigger certain emotions and can captivate people in an exciting play of form and colour. This can give people a feeling of happiness, joy or even sorrow. The design becomes pure and spontaneous. Spontaneity is one of the pillars of passionate floral art. It has to be 'real'. Flower arranging should not lead to a routine based exercise. Routine is deadly to creativity! Technical and form developing perfection is a goal worthy of pursuing. As a floral designer, one should take chances to dare to stick out one's neck in creating a challenging floral art form, indeed to engage or cause confrontation. It is wise to remember the words of the famous American architect Robert Venturi, when in 1962 in his manifest against the international style, suggested "to give preference to cluttered vitality over conformity and monotony".

Bessenfeest

Duizenden vlierbessen komen samen in een rijke overdaad. Twee blauwgele potten met Oasis daar hoog bovenuit dienen als basis. De bessen zijn laag voor laag ingestoken. Bovenop staan roodgroene holle stelen van de grote engelwortel. Hierin zijn de blauw-paarse *Hydrangea* gestoken, zij bekronen het arrangement. Gebruikte materialen: aardewerk containers, Oasis, kippengaas, *Sambucus nigra, Angelica archangelica, Hydrangea macrophylla.*

Berry Fest

Thousands of Elderberrries have been arranged in rich abundance. Two blue yellow jardiniers are filled with floral foam well above the rims of the base. The berries are inserted layer by layer. At the top, hollow red green stems of *Angelica* have been placed, filled with purple blue *Hydrangea,* which form the crowning glory of the composition.
Materials used are: Earthenware containers, Oasis, chicken wire, *Sambucus nigra, Angelica archangelica, Hydrangea macrophylla.*

Holland bloemenland

Vanouds is Nederland een bloemenland. Het klimaat maakt het mogelijk om gedurende een deel van het jaar bloemen buiten te telen. De meeste bloemen komen echter onder glas vandaan. Het Westland vormt samen met Aalsmeer het hart van de wereld-bloemenhandel. De bloemenveilingen vormen in de distributie van bloemen een belangrijke rol. Hier worden het aanbod en de vraag bijeengebracht. Een zeer breed assortiment bloemen van hoge kwaliteit vindt razendsnel via de handelskanalen wereldwijd zijn weg naar de consument. Totaal gaat het om ca. 10.000 verschillende soorten bloemen en planten die worden aangevoerd. Selectiebedrijven en telers spelen constant in op de vraag naar nieuwe producten en kleuren. Telers zijn gespecialiseerd in één of enkele teelten waardoor de kwaliteit optimaal kan zijn. Tussen de telers bestaat een regelmatige uitwisseling van kennis en ervaring. Een constante innovatie van de Nederlandse tuinbouw en het handelssysteem leiden ertoe dat de positie van Nederland als grootste bloemenexporteur ter wereld vooralsnog sterk is. De grootste veilingen zijn VBA-Aalsmeer, Bloemenveiling Holland in Naaldwijk en Flora in Rijnsburg. De bloemenhandel wordt steeds internationaler.

Holland, Land of Flowers

Holland has a long standing tradition of being the flower country of the world. The climate is favourable to growing flowers outside during part of the year, however, most flowers are grown under glass. Westland and Aalsmeer are the heart and centre of the flower business. The flower auctions play an important role in the distribution of flowers. Here supply and demand come together. A wide assortment of high quality flowers is being distributed via exporters to all parts of the world within hours. Approximately 10,000 different varieties of flowers and plants are auctioned daily. Propagators, breeders and growers constantly cater to the demands of the consumer to produce new products, varieties and colours. Growers, specializing in one or two crops, are able to create optimum conditions to produce the best possible quality flowers and plants. Growers are in constant touch with each other to exchange information and experience between them. Continuous innovation of the Netherlands' horticultural industry and distribution systems has made Holland the undisputed leader in flower exporting in the world. The largest flower auctions are VBA, Aalsmeer, Flower Auction Holland, Naaldwijk and Flora in Rijnsburg. The flower business is becoming more and more international in scope.

EEN STUKJE GESCHIEDENIS VAN DE BLOEMSIERKUNST

We kunnen de loop der bloemsierkunst vanuit verschillende lijnen volgen. Wel is het zo dat veel historisch gezien niet met zekerheid bekend is omdat er in het verleden weinig over is vastgelegd. We moeten daarbij ook bedenken dat deze kunstvorm vergankelijk is vanwege het soort materiaal waarmee wordt gewerkt. Er zijn wat resten uit de tijden der Egyptische farao's en sommige oude schilderingen en beeldhouwwerken doen ons vermoeden hoe sommige decoraties werden gemaakt en toegepast. Pas vanaf de 17e eeuw is in Europa het een en ander beschreven.

Internationale bloemsierkunst

De bloemsierkunst heeft zich gedurende vele eeuwen ontwikkeld tot een kunstvorm van betekenis. Beïnvloeding van bloemschikstijlen uit de verschillende landen vindt door de veelvuldige contacten en publicaties steeds intensiever plaats. Hierdoor is er een soort internationale stijl aan het ontstaan. Daarnaast zien we ook dat sommige landen een eigen stijl ontwikkelen of deze vanuit hun traditie hebben vormgegeven of deze juist weer trachten te herleiden zoals dit met de Chinese bloemsierkunst in Taiwan gebeurt. We zien invloeden kriskras over de aardbol. Toch is het goed als culturen of landen en zeker de bloemsierkunstenaar zelf een eigen creatieve ontwikkeling voorstaan. In een internationale wereld is een eigen persoonlijke stijl erg belangrijk. Eenvormigheid is dodelijk voor onze creativiteit. Dit geldt ook voor het klakkeloos navolgen van allerlei trends.
Bloemsierkunst is voor de kunstenaars natuurlijk vooral een heel individueel, creatief en kunstzinnig gebeuren. Het is een op persoonlijke wijze kunstzinnig vormgeven met voornamelijk plantaardige materialen, alhoewel vaak ook andere materiaalsoorten een onderdeel van de compositie uitmaken. Meer en meer wordt bloemsierkunst internationaal als zelfstandige kunstvorm erkend. Een aparte status is er van oudsher voor religie; symboliek en meditatie als bron voor bloemsierkunst. Invloeden zijn er ook uit de schilder- en beeldhouwkunst. De Koreaanse en Japanse bloemsierkunst hebben wortels in India en China. Deze wortels gaan terug tot de Wei- en de Chin-dynastieën vanaf 220 na Chr. De bloemsierkunst heeft zich in China ontwikkeld tot ware kunst en was een van de vier elementaire kunstvormen: wierook branden, theeceremonie, rolschilderingen vervaardigen en bloemschikken. In de schikwijzen stonden natuur en literatuur centraal. De asymmetrie, het lineaire en grafische stonden als basis hoog in aanzien. De Chinezen ontwikkelden geavanceerde technieken en regels voor de stijlen van het schikken. Het Westen denkt nog altijd aan Japanse Ikebana als vorm van oosterse bloemsierkunst, maar de studie van de historie van de Chinese bloemsierkunst leidt ons naar de oudste wortels.

A LITTLE HISTORY ON THE ART OF FLOWER ARRANGING

We can view the course of history on flower arrangements from different angles. From a historical perspective, there is not a great deal of information available, primarily due to the fragile nature of the art form. There is, however, some information regarding the Egyptian period during the reign of the Pharaohs. Stone reliefs and wall paintings give us a glimpse of how some decorations were made and used. From the 17th century on there are some written references pertaining to floral art.

International Floral Art

The art of flower arranging has developed over the last centuries into a significant art form. The influence of floral design styles from the various countries has come about due to frequent contacts and publications. A so-called international style developed because of these exchanges. Some countries are developing their own style, often taking elements from their historical past and presenting them in new ways. Taiwan is a typical example in using Chinese floral art to this end. We see these influences around the globe. It is an excellent idea when cultures or countries and certainly floral artists develop their own creative styles. In an international world of floral art a personal style is very important. Uniformity stagnates our creativity! This also goes for blindly following all sorts of trends and fads. Floral design is for floral artists; a very individual, creative and artistic happening. It means to personally create an artistic design with predominantly vegetative materials, although other non vegetative materials could play a part in the composition. More and more floral art is recognized internationally as an independent art form. The significance of flowers as depicted in ancient religious art is a source of symbolism and meditation of floral art. Influences are also seen from paintings and sculptures. The Korean and Japanese floral arts have their roots in India and China. These roots go back to the Wei and Chin dynasties which date from 220 AD. Floral art in China has developed into a significant art form and is recognized as one of the four elementary art forms: the burning of incense, the tea ceremony, scroll painting and flower arranging. Nature and literature are central to the method of arranging. The asymmetry, the linear and graphic lines were important elements. The Chinese developed advanced techniques and roles regarding the floral styles and arranging methods. The West still regards the Japanese Ikebana as the basis of Eastern flower arranging, but the study and history of Chinese flower art lead us to these ancient roots.

De invloed van de Japanse Ikebana op de westerse bloemsierkunst

Kort gezegd is de oosterse bloemsierkunst ontstaan uit de bloemenofferandes aan de goden. In India, in religies als het boeddhisme, ligt waarschijnlijk de bakermat. In de derde eeuw na Christus is in China, dat toen een hoogstaande cultuur kende, in het Ch'anboeddhisme een veelzijdige bloemschikvorm ontwikkeld. De herleving van deze prachtige schikwijzen is in Taiwan al duidelijk waar te nemen. Tentoonstellingen en publicaties maken dit als bronnen van bloemsierkunst voor ons bereikbaar. Vanaf ca. 700 na Chr. is deze Chinese schikwijze door monniken naar Korea en Japan overgebracht. Daar werd ze vooral toegepast in de vorm van tempelschikkingen, als offers aan Boeddha. Thans heeft Japan vele Ikebanascholen, die soms wereldwijd studenten en afdelingen hebben.

Toen in 1868 Japan haar geïsoleerde positie moest opgeven, nam de rest van de wereld met verbazing kennis van de kunst en gewoonten van dit oosterse volk. Er ontstond een rage in het verzamelen van Japanse prenten en kunstvoorwerpen. We zien invloeden in alle vormen van de westerse cultuur ontstaan. Denk maar aan sommige schilderijen van Vincent van Gogh. Stijlen veranderen en werden met Japanse ideeën bevrucht. Ook in de bloemsierkunst zien we een geweldige oosterse invloed. Was de westerse bloemsierkunst tot dan toe vooral decoratief, gevuld van vormgeving en klassiek gericht, met de Japanse invloeden zien we dat eenvoud, lijn en leegte hun plaats gaan opeisen. Veel bloemschikpublicaties uit de tijd vanaf eind 19e eeuw laten zien dat de Japanse bloemsierkunst in de belangstelling stond. Beïnvloeding en dus verandering van de traditionele westerse stijlen was onontkoombaar. Er werden in Europa en Amerika clubs opgericht of afdelingen van Japanse Ikebana-scholen. Hier werd volgens de regels der kunst echte Japanse bloemsierkunst beoefend. Ook nu is dat nog steeds het geval. Er ontstonden bovendien vele nieuwe schikvormen in de westerse stijl gebaseerd op invloeden uit de Japanse bloemsierkunst. Dit zien we aan de open lijnvoering en aan de lege ruimte in de schikkingen, onmiskenbaar Japanse effecten. Deze verrijking heeft er mede toe geleid dat thans een veelheid aan stijlen en schikvormen is ontstaan.
Een van de ontwikkelingen is dat Japanse klassieke technieken, zoals kubari's (klemhoutjes) en span- en klemtechnieken, steeds vaker worden toegepast in het Westen. We zien dat deze constructieve technieken leiden tot creatieve schikstijlen waarbij nieuwe vormgeving en alternatieve technieken mogelijk zijn. Eveneens geeft het mogelijkheden om deze steuntechnieken te gebruiken in vormen van milieuvriendelijk bloemschikken; geen gebruik meer van draad en kunsthulpmiddelen. Milieuvriendelijk bloemschikken zal steeds meer aandacht krijgen in de toekomst, een belangrijke ontwikkeling en een bijdrage aan het behoud van onze aarde.

The influence of Japanese Ikebana on Western Flower Arranging

Briefly, the Eastern floral art found its origin in the floral offerings to the Gods. The cradle of these offerings stem from India and religions such as Buddhism. In the third century AD, China had already a very advanced culture and developed many sided arrangements during the Ch'anbuddhism period. The revival of those beautiful floral art forms is presently seen and practised in Taiwan.
Exhibitions and publications offer the resources from which we can draw inspiration for our own designs. From the seventh century AD, Buddhist Monks brought the Chinese way of flower arranging to Korea and Japan. They were used as temple decorations and placed as an offering before Buddha. Japan has many Ikebana schools and has a worldwide alumni with Ikebana chapters spread around the globe.

When in 1868 Japan had to surrender her isolated position, the rest of the world was amazed to learn about the art and culture of this civilized society. A rage developed in the West to collect Japanese prints and art. We experience these influences in all forms of Western culture. We notice this in some of the paintings of Vincent van Gogh. Styles changed and many Japanese methods and ideas were applied and implemented. Also in flower arranging we see a tremendous Eastern influence. Western floral art was primarily decorative, classic and opulent. With the Japanese influence floral designs became simpler, linear, while voids became important in a composition. Many floral publications from the late 19th century show the popularity of Japanese floral art. The influence and changes in Western style arranging was, therefore, inevitable. In Europe and America, Ikebana schools and clubs were formed to teach Ikebana according to the prescribed rules. These schools still exist today. New Western styles were developed, based on the influences of Japanese floral art We notice this in the emphasis of line and space in the composition which is unmistakably Oriental. The Japanese enrichment has led to a multitude of arrangement styles. One of the developments is the classical Japanese arranging technique which uses kubaris (support twigs) and bridge and clamp techniques; these are now widely used in Western style arranging. We can see that these constructive techniques could lead to creative arrangement styles, stimulate form development and alternative techniques. Indeed, these support techniques can lead to ecological-friendly flower arranging by eliminating wire and artificial support systems, such as floral foams. Ecological friendly flower arranging will become even more important in the future, and is an important development in our quest to save the earth.

Hana-Mai

Een Hana-Mai volgens een principe van de Ohara-school.
Het uitgangspunt is het door gebruik van twee of drie
materialen laten ontstaan van een sierlijke beweging.
Het lijkt alsof de bloemen een danshouding aannemen.
De materialen raken elkaar of kruisen vrij voorlangs.
De stelen mogen op loodprikkers worden geplaatst maar
kunnen ook zo in de schaal staan.
Gebruikte materialen: Mobach-aardewerk,
Aesculus hippocastanum, Iris.

Hana Mai

An Hana-Mai arrangement according to the principles
of the Ohara school. The starting point is to use two or
three materials in an elegant fashion. It appears that
the flowers have taken on a position to dance.
The materials may touch each other or cross along the front.
The stems may be fastened onto a lead pin holder, but can
also be placed without support.
Materials used are: Mobach pottery,
Aesculus hippocastanum, Iris.

Wisselwerking Oost-West

Aardig is te constateren dat de wisselwerking tussen Japan en het Westen nu compleet is omdat er in Japan en andere Aziatische landen grote interesse bestaat om op Europese en Amerikaanse wijze te leren bloemschikken. Juist de klassieke stijlen, gebaseerd op het eenpuntsprincipe, de biedermeier, de driehoeksschikking en de meer gegroepeerde vormgeving, zijn populair. Maar ook het werk van individuele bloemsierkunstenaars, kampioenen e.d., vindt gretig navolging. Bloemsierkunst wordt een internationale kunst met daarbinnen vele interessante stijlen en persoonlijke opvattingen van de kunstenaar.

Japanse scholen

De meeste Ikebana-scholen hanteren in de schikking drie basisprincipes, die per school van naam kunnen verschillen: hemel, mens en aarde (Shin, Shoe, Tai). Bamboe, kersenbloesem, pruim en den zijn zeer geliefde en symbolische materialen in de Ikebana. Bloemschikken tijdens de theeceremonie wordt nog steeds bedreven en wordt Chabana genoemd. De schikkingen worden vaak in een speciale nis geplaatst. De drie belangrijkste scholen in Japan zijn:

Ikenobo

Deze oudste school is gaandeweg in de 14e eeuw ontstaan uit de bloemschikkingen van Ono-No-Imoko. Hij droeg zijn creaties op aan Boeddha en gaf betekenis aan zijn schikkingen. Zijn ike-no-bo-schikkingen ("volgens de monnik die aan het meer woont") leidden tot bekende klassieke stijlen als: Rikka, Shoka en Nageire.

Ohara

Deze school is in 1895 opgericht door Unshin Ohara. Met de Meiji-periode kwam een golf van vernieuwing en ontwaking over Japan. Westerse invloeden drongen Japan binnen.
Ohara ontwikkelde op basis van de Chinese prikker (frog) uit 1763, de loodprikker (kenzan) en bedacht natuurlijke schikkingen als Moribana, een doorbraak in de Japanse bloemsierkunst. Later volgden vele stijlen, zoals Color scheme, Rimpa, Bunjin, Small forms, Hana mai en One-row.

Sogetsu

Sofu Teshigahara heeft een moderne creatieve richting aan de Ikebana gegeven met de oprichting in 1925 van de Sogetsu-school. Vrije stijl, eenvoud en originaliteit zijn de kenmerken van Sofu's werk. Hij wordt ook wel de Picasso van Japan genoemd. Plantaardige sculpturen en objecten behoren tot zijn kunstvorm. Later werden die in Europa als Floral objects (Flobs) overgenomen en verder ontwikkeld.

Interaction East-West

The interaction between Japan and the West seems complete. This is due to the fact that Japan and other Asian countries expressed a great deal of interest in the design styles and arranging techniques of Europe and the USA. Particularly, the classical style based on the centre point principle such as the Biedermeier (posey arrangement), the triangular designs and the grouped arrangements are popular. Floral art is becoming an international art form, comprising many interesting styles and personal interpretations of the floral artist.

Japanese Schools

Most Ikebana schools teach three elementary principles: heaven, man and earth (Shin, Shoe, Tai). These names may differ from school to school. Bamboo, cherry blossom, prunus and pine are favoured and symbolic materials in Ikebana. Flower arranging during the tea ceremony is called Chabana, which is still practised today. The arrangements are often placed in a niche or tokonoma. The three important schools in Japan are:

Ikenobo

This is the oldest school dating from the 14th century. A priest called Ono-No-Imoko developed the fundamentals of Ikebana as essentially an arrangement which symbolizes the living universe and offered these creations to Buddha. His Ike-no-bo arrangements, meaning "the monk who lives by the lake", led to the creation of well known classical styles such as Rikka, Shoka and Nageire.

Ohara

This school was formed by Unshin Ohara in 1895. The advent of the Meiji period brought with it a wave of renewal over Japan. Western influences found their way into Japan.
Ohara developed natural looking arrangements such as the Moribana, using pinholders and flower frogs to support the flowers and branches. These originated in China in 1763. Later many other styles were introduced such as Colour scheme, Rimpa, Bunjin, Small Forms, Hana mai and one row which formed a breakthrough of the traditional Japanese design.

Sogetsu

Sofu Teshigahara gave a new creative direction to Ikebana with the founding of the Sogetsu school in 1925. Freestyle, simplicity and originality were the distinguishing characteristics. He was often called the Picasso of Japan. Vegetative sculptures and abstract objects were part of his art form. Much later, these art forms were further developed in Europe as Floral objects (Flobs).

Europa

In Europa is de bloemsierkunst evenals in China en Japan voornamelijk ontstaan uit religieuze gebruiken. Gaan we de loop der cultuurgeschiedenis eens na, dan begint deze voor Europa belangrijk te worden in de tijd van het oude Egypte waar boeketten en grafbloemen veelvuldig werden gebruikt. In Griekenland, dat veel van Egypte overnam, werden kransen gebruikt bij de Olympische spelen als eerbetoon aan de winnaars en dienden slingers als versiering van tempels en gebouwen. In het Romeinse rijk werden bovendien lauwerkransen gemaakt, die dienden als eresymbool. Kransen en slingers werden ook gebeeldhouwd ter decoratie van gebouwen en triomfbogen. Opgravingen in Pompei geven ons daarvan voorbeelden. Ontelbare bloemblaadjes werden gebruikt in ceremonies.

Landen met een belangrijke bloemschikgeschiedenis zijn vooral Engeland, Frankrijk, Duitsland en Oostenrijk en natuurlijk de Nederlanden. De redenen hiervoor vinden we in de machtsposities van die landen in het verleden — de rijke kooplieden en de adel. Veel nu nog bekende stijlen zijn hier geboren, zoals de barokstijl, de Makart-boeketten, de biedermeierstijl en de Victoriaanse stijl. Maar ook de Oud-Hollandse bloemenstillevens (in navolging van de Vlaamse schilderijen), de Hogarth-stijl en crescentstijl. In de 20ste eeuw komen daar nog bij de watervalstijl, de vegetatieve stijl, de abstracte, de lineaire en de parallelle stijl en de decoratieve vernieuwing. Florale objecten, collages en assemblages worden ook in de bloemsierkunst belangrijk. Recente ontwikkelingen zijn de constructies, frames, windsels, weefsels, bind- en vlechtwerken en zeker ook de milieuvriendelijke technieken. Deze technieken hebben onmiskenbaar gevolgen voor de vormgeving van het bloemwerk.

Het christendom

Bloemen zijn ook in het christendom een rol gaan spelen als symbool, als eerbetoon aan God, tijdens de dienst of gewoon ter decoratie. Ook kregen veel bloemen in het dagelijkse leven een gebruik of betekenis. De schilderkunst geeft ons hiervan vele voorbeelden. Symboliek kreeg als een aparte uitbeeldingswijze een belangrijke functie en ontwikkelde zich meer en meer. In vele kerken wordt op symbolische wijze met bloemen en bloemwerk het thema van de liturgie uitgebeeld, daarbij Gods schepping een ereplaats gevend in Zijn huis.

De profane Europese wereld

In de rijke middeleeuwen, toen de steden opkwamen en de vorstenhuizen en kooplieden rijk werden, nam het bloemengebruik toe. Bloemstukken sierden de tafels tijdens feesten, vaak gecombineerd met groenten en fruit. Vooral ten tijde van de machtige kooningshuizen, zoals de Lodewijken in Frankrijk, is dit gebruik verder ontwikkeld.
In de Victoriaanse tijd (Engeland, 1830-1901) droegen dames bloemenkransjes, corsages, slingers aan de japonnen en een boeketje (posey) in de hand. Feesten waren echte bloemenfeesten in die dagen. Bruidsboeketten werden steeds gewoner en gingen bij de huwelijksdag horen. In de biedermeiertijd (Frankrijk, Duitsland, Oostenrijk, België, Nederland, 1820-1848) evenals in de Victoriaanse tijd ontstonden veel decoratieve compacte schikkingen, die ook nu nog heel populair zijn. Pas in de tweede helft van de 19e eeuw ontstond het vak van bloembinder en kwamen er bloemenwinkels.

Europe

In Europe, floral art, like China and Japan, primarily came into being through religious customs and practices. When we look at the history of civilizations, we find that the Egyptian period is an important start for European floral art. During ancient Egypt, floral bouquets and sprays were frequently laid on the grave. Greece has adapted many customs from Egypt and used wreaths to honour their victorious athletes during the Olympic Games. Garlands were used as decoration of temples and buildings, and in Roman times laurel wreaths were made as a symbol of honour. Wreaths and garlands were carved in stone to adorn buildings and triumphal arches. Excavations in Pompei revealed many examples. Thousands of flower petals were used in ceremonies.

England, France, Germany and Austria, including The Netherlands, do have an important history when it comes to floral art. The principal reason for this is, that these countries held power and thus controlled the wealth, namely the rich merchants and the nobility. Many well known floral styles originated during this period e.g. Baroque style, Makart bouquets, Biedermeier style and the Victorian style, including the 17th century Dutch and Flemish still life paintings, followed by the Hogarth and Crescent styles. The 20th century brought the waterfall style, the vegetative style, the abstract, the linear, the parallel style and the decorative renewal. Floral objects, collages and assemblages were also important trends. Recent developments are constructions, framing, banding, weaving, binding and braiding techniques, and, of course, the ecological friendly techniques. These techniques unmistakably influence the end result in design of the arrangements.

Christianity

Flowers, as symbols, have played an important role in Christianity, as well as paying homage to God during religious ceremonies or simply used as decoration. Many flowers were accorded special meanings and uses. The art of painting provides us with many examples. Symbolism became a meaningful custom which continued to develop as time went on. Many churches observed symbolic uses of flowers in their liturgy to the honour and glory of God and his creation.

The Secular Europe

During the prosperous middle ages when the cities grew and royalty and merchants became wealthy, the custom of using flowers increased. Flower arrangements graced the tables during parties and festivities, often combined with fruit and vegetables. Especially, during the reign of powerful kings such as the Louis' of France, was this custom celebrated. In Victorian times (England 1830-1901) ladies often wore small flower wreaths, corsages and garlands on their gowns with a posey in hand. Festivities became real flower festivals during those days. Bridal bouquets became the norm and became part of the marriage tradition. During the Biedermeier and Victorian periods (1820-1848) compact decorative arrangements were popular in France, Germany, Austria, Belgium and Holland and continue to be today. During the second half of the 19th century, floristry became a profession with flower shops appearing in urban centres.

Nederland

De Nederlanden kenden een glorieuze tijd in de 17e eeuw — Hollands gouden eeuw. De wereldzeeën werden bevaren en Holland was een tijdlang een van de machtigste naties. Door de rijkdom van kooplieden die weelderige patriciërshuizen lieten bouwen, raakte het gebruik van bloemen en planten in huis in de mode. Ook gebeeldhouwde decoraties zoals guirlandes werden veelvuldig toegepast aan rijke koopmanshuizen.
In 1806 werd in Gent (België) de eerste bloemententoonstelling gehouden en ontstonden verenigingen en organisaties die voor het bloemenvak opkwamen. In het begin van de 20e eeuw werd bloemschikken vooral in de praktijk onderwezen. Examens werden al vanaf 1920 afgenomen. In Nederland kwam de bloemsierkunst vanaf 1956 in een stroomversnelling. Opleidingsprogramma's en examens werden onderdeel van een hoger vakmanschap. Na de eerste Floriade in Rotterdam in 1960 (de grote internationale wereldbloemententoonstelling) brak een nieuw tijdperk aan. Begrippen als rechthoekstijl, lineair, parallel en vegetatief deden hun intrede. Vormgevende elementen zoals lijn, ritme, structuur, beweging e.d. groeiden uit tot op zichzelf staande kunst. Dit leidde tot een enorme rijkdom aan creatieve en technische bloemschikmogelijkheden. Het heeft onder meer geresulteerd in een groot aantal erkende bloemsierkunstenaars (Dutch Masters), die inmiddels over de hele wereld de Nederlandse bloemsierkunst hebben uitgedragen.
De opleidingen spelen in op deze kunstzinnige ontwikkeling door al sinds 1957 een meesteropleiding te verzorgen. In 1995 is in Nederland door de Vereniging Bloemist Winkeliers een overkoepelend instituut opgericht, de EFDA (European Floral Design Academy). Deze geeft een verdere stimulans naar de erkenning als kunstvorm en floraal meesterschap. Dit doet ze mede via een aantal internationale bloemschikdiploma's. Voor meer informatie zie het adres van de EFDA op pag. 144.

Noord-Amerika

Met de trek naar Amerika vanaf 1700 gingen Europese gebruiken mee naar het nieuwe land, zo ook de gewoonte van het bloemschikken. Het is dus logisch dat Amerika de Europese bloemschikvormen overnam. Lokaal werden hieraan vanzelf een eigen gezicht en creatieve nuances gegeven. Afhankelijk vanuit welk Europees land de bevolking kwam zien we variaties in het bloemschikken. Bekend zijn de traditionele stijlen als Georgian (1714-1830) and Colonial Williamsburg; deze laatste is vooral bekend van de prachtige kerstdecoraties met veel vruchten en groen. In de 20e eeuw zien we dat de reis vanuit Amerika wordt voortgezet naar Japan en verder in Azië.

Zuid-Afrika

Toen in de 19e eeuw veel Europeanen, Duitsers, Hollanders en Engelsen naar Zuid-Afrika trokken, gingen ook hun Europese bloemschikgewoonten mee. De relatie met de klassieke Europese schikvormen is dan ook herkenbaar. Zuid-Afrika is vanouds georiënteerd op de Engelse stijl, maar staat nu open voor vernieuwing en ontwikkelt zich snel. Zeker via de WAFA (World Association of Flower Arrangers) heeft Zuid-Afrika zicht op internationale ontwikkelingen.

Floral Art in The Netherlands

The 17th century was the Golden Age for the Netherlands. Due to their superiority on the seas Holland became one of the most powerful nations on earth. Their wealthy merchant class built magnificent houses and the use of flowers and plants became fashionable. Also decorations of garlands were frequently carved in stone and applied to the wealthy merchant houses. In 1806 the first flower exhibition was held in the city of Ghent, Belgium. Since then, floral societies and organizations were formed to further the cause of floristry. The twentieth century saw the formation of apprenticeship programs in flower shops, and exams were taken as early as 1920. Starting in 1956 real advancements were made in retail floristry. Training programs and exams became part of an effort to upgrade skills in floral art. After the first Floriade (a large international floral exhibition) which was held in Rotterdam in 1960 a new era in floral art began. New concepts such as right angle style, linear, parallel and vegetative designs were conceived. Form developing elements (design) e.g. line, rhythm, structure and movement became an art form in itself. This led to an enormous wealth in creative and technical arranging possibilities, and resulted in the formation of a large number of Dutch Master Florists, who traveled around the globe to demonstrate Dutch floral art. Flower schools and colleges mounted highly specialized courses in 1957 with the specific purpose to provide florists' and master florists' training programs. In 1995, the Netherlands' Association of Retail Florists founded an umbrella organization, the EFDA, The European Floral Design Academy. This new organization provided a stimulus for recognition of outstanding floral art and mastery in floral artistry by means of awarding international floral art diplomas. For more information re the EFDA, see page 144.

North America

With the immigration to America from 1700 onwards, immigrants brought their European customs to their new country, including their skill and methods of flower arranging. It is thus logical, that the Americans embraced the European customs of flower arranging. Locally, new ideas and creative nuances provided a fresh new perspective. Depending from which country the immigrants came, do we see variations in flower arrangements. Well known are the traditional styles such as the Georgian 1714-1830 and the Colonial Williamsburg. The latter is especially well known for the beautiful Christmas decorations, laden with fruits and greens. During the 20th century, we can see that the journey of flower arranging continues from America to Japan and further into Asia.

South Africa

During the 19th century many Europeans, Germans, Dutch and English immigrated to South Africa. They too did take their flower arranging customs with them. The relationship to classic European design is recognizable. South Africa was traditionally oriented towards the English floral styles, but is open to renewal and development. Especially the WAFA (World Association of Flower Arrangers) has given South Africa opportunities to witness advancements in international floral art.

Design in bloemsierkunst

Verschillende auteurs en docenten hanteren bij het bloemschikken verschillende principes of regels, die soms met elkaar in strijd zijn. Desalniettemin is in elke methodiek iets goeds te vinden. Dogmatisering van regels leidt echter tot starheid, doodt onze creativiteit en remt een flexibele geest. We moeten zoeken naar de optimale design-regels.

– Nora T. Hunter (USA) neemt harmonie en eenheid en het hebben van 'guidelines' als uitgangspunt. Een arrangement heeft vele elementen zoals vorm en kleur. Er is een streven naar een gepland creatief proces met als basis: denken, observeren en oefenen.
– Redbook advanced floral design (USA) noemt als principes: uitstraling, herhaling, balance, diepte, focuspunten, ruimte, proportie, harmonie en eenheid. Elementen zijn: kleur, vorm, lijn en textuur. Het zijn de essentiële ingrediënten die altijd aanwezig zijn.
– Jean Taylor (UK) geeft als kern het stellen van design-principes en design-elementen. Design-elementen die worden genoemd zijn: textuur, vorm, kleur, ruimte. Deze zouden altijd te zien zijn in alle schikkingen en objecten. Vaak worden ze ook genoemd als de werkkwaliteiten; ruimte moet daarbij altijd aanwezig zijn. Designprincipes zijn: balans, ritme, afmeting, verhouding, dominantie, contrast en harmonie. De principes zijn essentieel en karakteristiek. Het zijn basiswetten bij het schikken en leiden tot actie.
– Gregor Lersch (D) noemt in zijn ordeningsschema 7 stappen: ordeningwijze, vormgevingswijze, lijnenverloop en wijze van rangschikken, positie van het groeimiddelpunt, aantal en rangschikking van de groeimiddelpunten, proporties en werkvormen.

De wijze waarop ikzelf tegen het schikken aankijk, verschilt van het voorgaande, legt andere accenten, is uitgebreider en diepgaander. De hoofdlijnen zijn in de tekst weergegeven. Zeven basisgroepen (onderdelen) vormen een belangrijke kern bij het schikken. **Waarneming (observeren), compositie en vormgeving, kleur, technieken, materiaalkennis, creativiteit, sensitiviteit.** Het schikken in de praktijk is daarbij essentieel om vaardigheid op te bouwen en de verschillende elementen tot een eenheid te leren brengen. Bloemschikken leer je alleen door het zelf te doen. Het uitgebreide schema (zie pag. 26) is een plan voor studie en analyse van het hele gebied van de bloemsierkunst.
Enkele begrippen die worden gehanteerd:
Design-elementen; het verdient de voorkeur alleen de term Design-elementen (ook wel vorm- of beeldelementen) te hanteren.
Design-regels; als we het over regels bij het schikken willen hebben dan houden wij ons het beste aan de regels behorend bij een bepaalde stijl of manier van schikken. Bedenk daarbij dat niet voor alle stijlen heldere regels zijn vastgesteld. Ook zijn regels van belang zoals een goede materiaalvoorbereiding, een goede veilige techniek en afwerking, een duidelijke thema-uitbeelding of symbolische uitstraling. Regels mogen echter nimmer verstarrend werken, vastgeroeste regels kunnen wel eens onjuist blijken te zijn. De ontwikkelingen en kennis moeten doorgroeien.

Design in Floral Art

Many authors and teachers in floral art employ various principles or rules which sometimes seem contrary to each other. Notwithstanding this fact, we can find something worthwhile in each methodology. A dogmatic following of rules leads to stagnation of our creativity and put the brakes on a flexible mind. We need to search for optimal design guidelines.

– Nora T. Hunter (USA) believes harmony, unity and adherence to guidelines as a basis of design. An arrangement has many elements for instance form and colour. She advocates a planned creative process beginning with thinking, observing and practising.
– Redbook Advanced Floral Design (USA) states the principles of design as: radiation, repetition, balance, depth, focal points, space, proportion, harmony and unity. Elements are: colour, form, line and texture. They are the ingredients always present in design.
– Jean Taylor (U.K.) believes that the elements and principles of design are: texture, form, colour, space. These are present in all arrangements and objects. They are often called the working qualities to which space (which is not a touchable feature) must be added. Design principles are balance, rhythm, scale, proportion, dominance and contrast. The principles are an essential characteristic component. It is a basis for reasoning and a general law as a guide to action.
– Gregor Lersch (Germany) states seven steps in his arranging diagram, e.g. arranging methodology, form development, line direction, ordening, position and number of central growth points, proportion and arrangement forms/styles.

My philosophy pertaining to design differs from the above. The accents are broader and more profound. The outlines are given in the text. Seven parts form the important basis or steps for arranging. **Observation (awareness), composition, design, colour, technique, knowledge of materials, creativity and sensi-**
tivity. Actual arranging is essential to develop the skills necessary to unite the various elements into a whole. Flower arranging is only possible by doing! The extensive diagram on page 27 is a plan for study and analyzing the entire realm of floral art.
Several concepts which are being discussed are:
Design elements: Preference is given to use the term design elements throughout the text.
Design rules/guideline: When we talk about the rules of flower arranging it is best to adhere to these rules when it concerns a specific style or method of arranging. These are not necessarily rules for every style of design. Rules are also important in the preparation of materials, good and safe techniques, finishing touches, as well as a clear portrayal of a theme or symbolic elements. Rules should never be so rigid as to paralyze the design process. Rules which are stuck in an outmoded fashion are not necessarily good or suitable. Knowledge and continuous development should be fostered.

Organisch
Organical

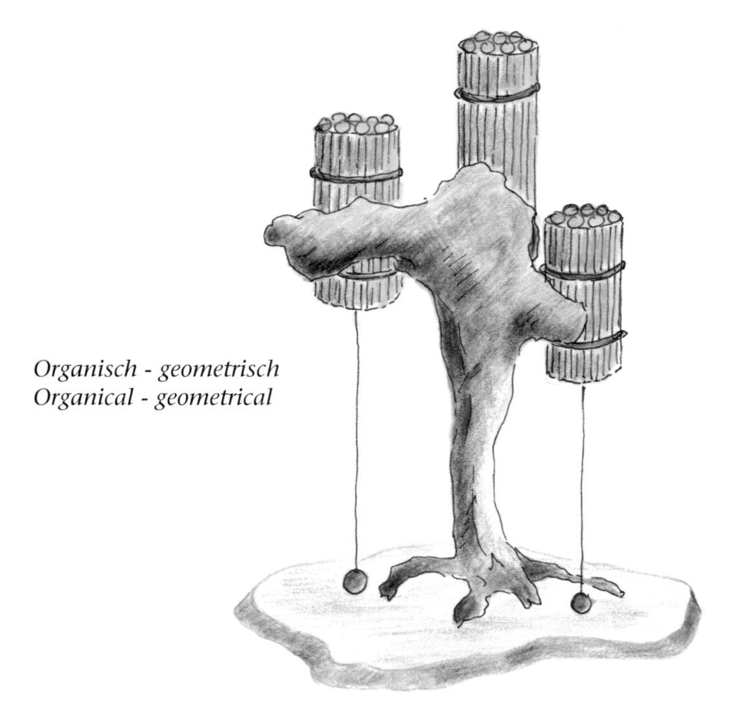

Organisch - geometrisch
Organical - geometrical

Welke keuze in design-elementen

Ik hanteer bij voorkeur de term design-elementen (ook wel vorm- of beeldelementen). In design-elementen zijn vele verschillende mogelijkheden te onderscheiden. Sommige zijn wellicht belangrijker of opvallender (kleur) dan andere, maar alle spelen een rol in de ordening van de compositie. Leer ze te analyseren en te hanteren in het bloemwerk. Het belang van de elementen kan verschillen afhankelijk van de bedoeling van de schikking. Bloemsierkunst is dus gebaseerd op 'kiezen': het selecteren van verschillende elementen — vormen en kleuren — die samen tot een interessante schikking moeten leiden. Er moet samenhang ontstaan tussen de gekozen elementen. De stijl speelt hierin soms een bepalende rol. Indien we schikken volgens een vastgelegd principe of volgens een stijlvorm, dan dienen we dit geheel door te voeren in ons arrangement. In vrije schikkingen kan de eigen creativiteit een veel grotere rol spelen. Vormen kunnen een eigen uitstraling hebben, bijvoorbeeld krachtig of onderdanig. Ze kunnen eenheid uitstralen of juist verandering. Van belang is dat ten minste één vormgevingselement domineert. Hieronder volgt een beknopte opsomming van belangrijke design-elementen waaruit we kunnen kiezen (sommige zijn als tegenstelling geplaatst). De schijnbaar minder belangrijke elementen voegen vaak onopvallende, soms leuke details toe aan de compositie en zijn belangrijk voor de perfectionering en detaillering. Er zijn veel mogelijkheden in de keuze van design-elementen (vorm- en kleurelementen) en in het combineren daarvan. Bepaalde elementen kunnen ook een meervoudige betekenis hebben, vaak door de context bepaald. Het gaat erom dat het totaal, het geheel van de schikking, de 'Gestalt', het gewenste resultaat geeft. Door te schetsen kunt u ideeën ontwikkelen en vormgeven. De genoemde elementen worden niet verder toegelicht in het kader van dit boek, het overzicht en de uitwerking zijn niet volledig. Ik heb een indeling gemaakt om het kiezen te vergemakkelijken:

How to choose design elements

I prefer to use the term design elements. Design elements offer many possibilities. Some seem more important or eye-catching than others; colour for example, but all play a role in the structure of the composition. Learn to analyze and use them in arrangements. The importance of elements can differ depending on the design intent. Floral art is thus based on making choices. The selection of various elements, for instance, form and colour must be combined effectively to create an interesting arrangement. There should be harmony between the chosen elements. The style often plays a dominant role. When we arrange according to the established principles or a particular style form, we should endeavour to apply them in our arrangements. In freestyle arrangements one's own creativity can play a larger role. Forms can project a strong image such as dominant or subordinate. They can also suggest unity or something entirely different. It is important that at least one design element dominates. Below is a concise list of important design elements from which we can make a choice. Some of them are opposites (contrary). The apparently less important elements often add an unexpected quality and fine details to the composition thus assisting in perfection and detail. There are many possibilities in the choice of design elements (form and colour) and in the combination thereof. Certain elements can also have more than one meaning dictated within the context of the design. The point is that the total, the whole of the design the 'Gestalt' produces the expected result. Ideas and new forms can be developed by sketching. The above described elements are no longer referred to within the context of this book. The overview and development are not complete and can be expanded upon. I have classified the information to make referencing easier.

Massa - lijn
Mass - line

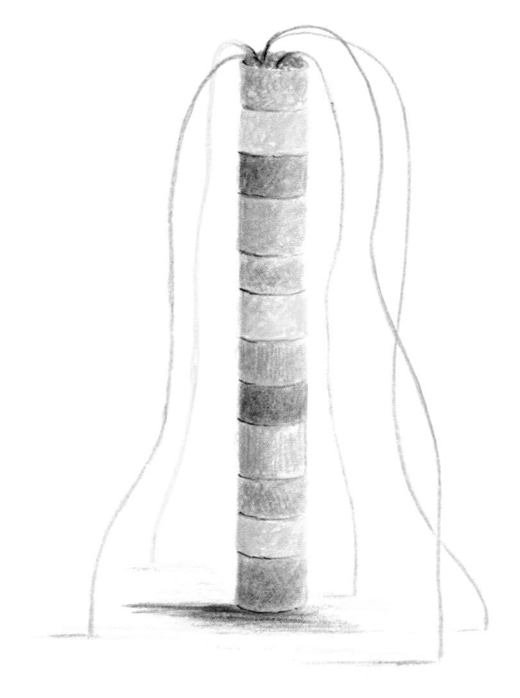

Cilindrisch
Cylindrical

Niveau 1
- symmetrisch — asymmetrisch;
- decoratief — vegetatief;
- eenzijdig — tweezijdig — alzijdig;
- massa — lijn — massa-lijn — ruimtevullend en ruimtescheppend;
- mengen — groeperen;
- bindpunt (verzamelpunt) onder, in, boven of naast de vaas;
- geschikt vanuit één, meer of zonder centrale punten;
- verticaal — diagonaal — horizontaal — radiaal — gebogen, neergaand — vrij;
- opgaand — neergaand — zwevend;
- formeel — informeel.

Niveau 2
- statisch (star) — dynamisch (beweging); rustig — onrustig;
- compact — ajou — lineair — parallel;
- harde duidelijke vorm (contouren) — verzachtende vorm — versluiering;
- eenheid — verscheidenheid; eenvoudig —- complex;
- hiërarchie: volgorde van belangrijkheid der delen;
- dominante vormen — onderdanige vormen;
- hoofdgroep — tegengroep — nevengroep;
- schaal, proportie (verhouding van de onderlinge delen).

Niveau 3
- structuur — textuur;
- contrast — tegenstellingen;
- contour — vlak;
- spiraleren — slingeren — winden — kruisen;
- strak (stijf) — speels (elegant);
- stapelen — gelaagde vormen — overlapping;
- bundelen — rijgen — vlechten — weven — wikkelen;
- ritmisch (herhaling) — willekeurig;
- volume: klein — groot — monumentaal;
- volume: afname of toename;
- constructie — gridvorm — raamwerk — frame;
- ornament (herhaling van vorm, contrast, structuur);
- abstraheren — stileren; grafisch spel van lijn en vlak;
- reduceren (afname van detaillering en variatie);
- balans in de schikking naar vorm en kleur.

Level 1
- symmetrical — asymmetrical;
- decorative — vegetative;
- one sided — two sided — all round;
- mass — line — line mass — space filling and space expanding;
- mixing - grouping;
- binding point below, in, above or beside the vase;
- arranged from one, more or without central points;
- vertical — diagonal — horizontal — radial — bent cascading — free;
- upright — downward — suspended;
- formal - informal.

Level 2
- static (still) — dynamic (movement); rest — restless;
- compact — open — linear — parallel;
- strong/hard form (contours) — fluid form — veiled;
- unity — diversity — simplicity — complex;
- hierarchy: order of importance of components;
- dominant forms — subordinate forms;
- principal group — secondary group — supporting group;
- scale, proportion (relation between one part to another).

Level 3
- structure — texture;
- contrast — opposites;
- contour — flat;
- spiraling — coiling — winding — crossing;
- rigid (stiff) — playful (elegant);
- stacking —layering — overlapping;
- bundling — stringing — braiding — weaving — wrapping;
- rhythmic (repetition) — random;
- volume — small — large — monumental;
- volume — decrease — increase;
- construction — grid form — casing — frame;
- ornament (repetition of form, contrast, structure);
- abstracting — styling; graphic (play of line and plane);
- reducing (removing detail and variation;
- balance in arrangement according to form and colour.

Welke design-technieken
Welke technieken worden gehanteerd in de compositie en waarom? Bedenk dat sommige ook direct vormgevend van belang zijn, zoals constructies of buisjes. De keuze van de techniek is vaak van belang om een bepaald vormgevend resultaat te bereiken. Enkele technieken zijn: steken, binden, knopen, verbinden, vlechten, weven, klemmen, steunen, spannen, rijgen, wikkelen, spijkeren, nieten, bundelen, stapelen, verpakken, vouwen, frommelenen lijmen.

Welke basis
Meestal wordt gewerkt met steekschuim (Oasis). Andere materialen krijgen echter een steeds belangrijker plaats in de bloemsierkunst. Enkele mogelijkheden zijn: gaas, klei, klemtakjes, frames, sphagnum en de loodprikker. Er wordt ook wel zonder basis geschikt, vooral in het alternatieve en milieuvriendelijke bloemwerk. Het belangrijkst is dat de basis functioneel bijdraagt aan de verlangde vormgeving.

Welke compositieprincipes
In grote lijnen kan men vormgeven volgens de vegetatieve of decoratieve werkwijze. Natuurlijk of abstract sluit hierop aan. Als ruimtelijke ordeningsvorm kunnen we kiezen voor lineair, radiaal, centraal, orthogonaal en allerlei combinatievormen. Als primaire ordeningselementen fungeren: punt, lijn, vlak en volume.
De stijlschikkingen vormen een apart verhaal, vaak met eigen regels. Daarnaast zien we vaak een overdreven streven naar het bijzondere. Mensen waarderen dan alleen nog maar het afwijkende. Het is echter niet gezegd dat dit ook altijd altijd kwaliteit heeft. Vaak mist het werk rust, harmonie, maat en ritme; het lijdt aan besluiteloosheid. Ten aanzien van schoonheid mag je geen compromis sluiten.
Veel is tegenwoordig gebaseerd op kopiëren. Ik vind daarentegen dat bloemwerk avontuurlijk moet blijven en een eigen persoonlijkheid uitstralen. Het moet getuigen van individualiteit en respect voor florale vormen en de natuur.

Welke kleurencombinatie
Hier hangt natuurlijk veel van af omdat kleur meestal heel kenmerkend is voor het arrangement. Kleuren geven vooral de sfeer van het arrangement weer omdat het onmiddellijk visueel aanwezig is. Kleuren en vormen mogen gerust met elkaar versmelten. Enkele mogelijkheden zijn:
- contrasterend — complementair
- monochroom — ton sur ton
- analoog — aanliggende kleuren
- koude of warme kleuren of combinaties
- regelmatige twee-, drie-, of meerklank
- onregelmatige twee-, drie-, of meerklank
- splitcombinaties
- onregelmatige kleurklanken
- de hoeveel van een kleur
- kwantiteitscontrast
- keuze van de kleurbalans
- seizoenskleuren
- gebruik van de donkerste kleur in het hart van de schikking of juist de lichte
- gebruik van een groot kleurvlak met een klein accent van een contrasterende kleur erin verwerkt
- gebruik van kleur in transparante lagen over elkaar heen
- symbolische of religieuze kleuren

Which design techniques
Which techniques are being used in the composition and why? Remember that some techniques become an important part of the design such as a construction of tubing. The choice of a technique is often important to come to a correct design solution. Some of the techniques used are: inserting, binding, knotting, connecting, braiding, weaving, clamping, supporting, stretching, threading, winding, nailing, stapling, bundling, stacking, packing, folding, crunching and gluing.

Which base
Usually, floral foam is used as a base in design. Other techniques are gaining more and more ground in floral art. Some suggestions: floral foam (Oasis), wire netting (chicken wire), clay, tension bars (wooden clamp sticks), frames, sphagnum moss and pinholders. Sometimes, no base is used at all, especially in the alternative and ecological friendly flower arrangements. The techniques should conform to the function and suitability of the design.

Which principles of design
Broadly speaking, we can follow the lines of the vegetative or decorative method of design, as well as the natural or abstract patterns. As a spacious ordening form of design, we can choose from linear, radial, central, orthogonal or all kinds of other combinations of shapes and forms. Point, line, plane and volume act as primary design elements.
Arrangement styles are a different story, often with their own rules. Sometimes, there is an exaggerated urge to create the unusual or non conforming. It seems that people only appreciate the far out and the bizarre. It does not mean that such an arrangement is in good taste or possesses the necessary qualities of a good design. We often see that it lacks rest periods, harmony, scale and rhythm, and frequently suffers from indecision. One should try not to compromise on beauty. Much of today's designs are copied. Personally, I find that floral design should express adventure and project one's feeling and personality. It should be a testimony to one's individuality as well as show respect for floral forms and nature.

Which colour combination
It all depends on the colour, because it is so obvious in an arrangement. Colour provides atmosphere in a design, because it is so visually arresting. Colours and forms can also be blended for a softer look. A few possibilities are:
- contrasting — complementary
- monochrome — tone on tone
- analogous — adjacent colours
- cool or warm colour combinations complementary — triadic or polychromatic
- split complementary and random colour combinations
- amount of colour
- quantity contrast
- choice of colour balance
- seasonal colour
- the use of the darkest colour in the centre of the arrangement (focal point), or the lightest colour
- the use of a large area of colour with a small accent of a contrasting colour
- the use of colours in transparent layers
- religious or symbolic colours

Welke overige keuzes
Hiervóór zijn een aantal zeer bepalende elementen genoemd. Daarnaast is er nog een aantal die het arrangement mede kunnen bepalen en zelfs als uitgangspunt kunnen dienen. Dit zijn:

- gebruik van decoratieve effecten of niet
- gebruik van accessoires of niet
- gebruik van attributen of niet
- thema's die ons bloemwerk bepalen
- symboliek voor een speciale betekenis
- emotie als extra dimensie
- geur voor een speciale gewaarwording
- toepassing van vorm-, of kleurdissonanten
- het leiden van het oog in een kijkrichting
- het uitdijen van het arrangement, ruimtegrijpend

We moeten altijd bedenken dat de huidige consensus over 'mooi of lelijk', over vormgeving en verhouding, over goed of slecht, maar een momentopname is. Opvattingen veranderen met de cultuur en de tijd, en verschilt per land. Ook de overdreven belangstelling voor allerlei kortdurende trends werkt erg verwarrend. Trendwatchers verkondigen vaak op hetzelfde moment zeer tegenstrijdige meningen. Dit boek beoogt primair eenieder die bloemen schikt aan te zetten tot een eigen ontwikkeling. Vooral het proces van het ontdekken, bedenken, leren en veranderen, ofwel 'de weg' (Tao) naar bloemsierkunst, is het meest interessant. Iedere kunstenaar moet zijn eigen evenwicht (yin-yang) zien te vinden, zijn eigen vormtaal ontwikkelen, opties uitnutten. We moeten de eigen ziel in het werk leggen, het werk ordening, uitstraling en charisma geven. Het moet vragen beantwoorden en evenzeer oproepen.

Other choices
Above we mentioned a number of elements which strongly influence the design. There are also a few elements which not only determine the type of arrangement but may serve as a starting point, e.g.:

- whether or not to use decorative effects
- whether or not to use accessories
- whether or not to use attributes
- themes which determine the type of arrangement
- symbolism to express a special meaning
- emotion as an extra dimension
- fragrance to create sensory awareness
- utilization of form or colour dissonance
- guiding the eye in a particular direction
- expansion of the arrangement, space filling

We must realize that the present consensus about beautiful or ugly, design and proportion, whether good or bad is but a momentary experience, an instant in time. The idea changes with culture, time location/country. The often overstated interest in a variety of short term trends is confusing. Trend watchers often proclaim very different viewpoints within the same period. This book will aim primarily to aid in the development of one's own flower arranging skills. Particularly, the process of discovery, thinking, learning and changing, indeed to follow the way of (Tao) to floral art is the most interesting. Artists should try to find their own balance ((yin-yang) to develop their own design language and expand their options. We should put our own soul into the design and radiate charisma in the arrangement. It should give answers to questions and invite the same.

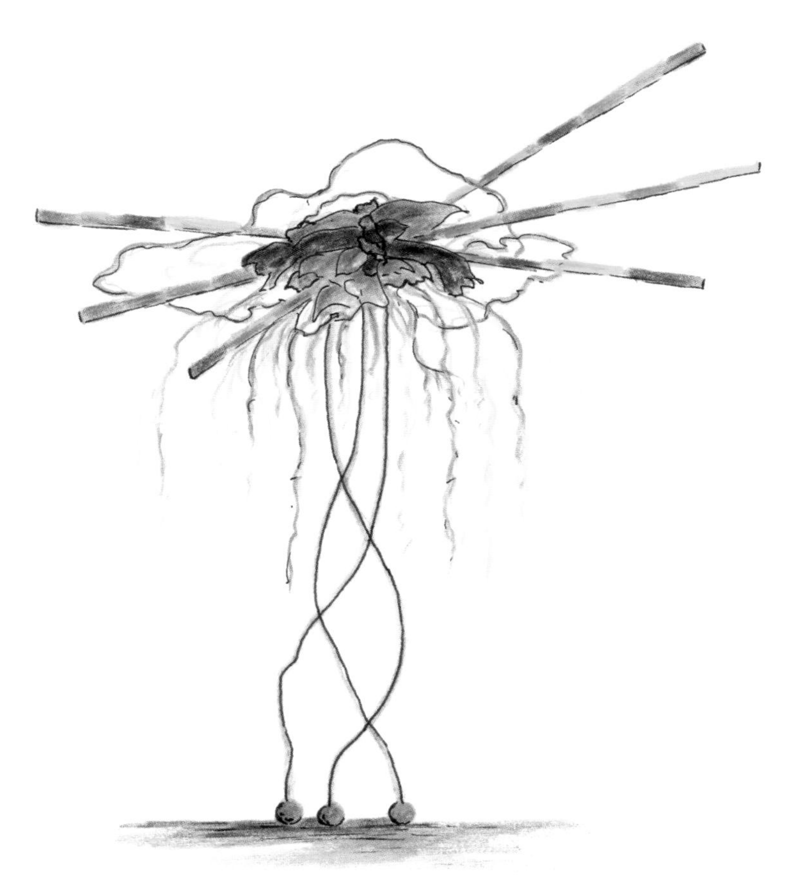

Decoratief lijnenspel — *Decorative play of line*

Gracieuze schoonheid — *Graceful beauty*

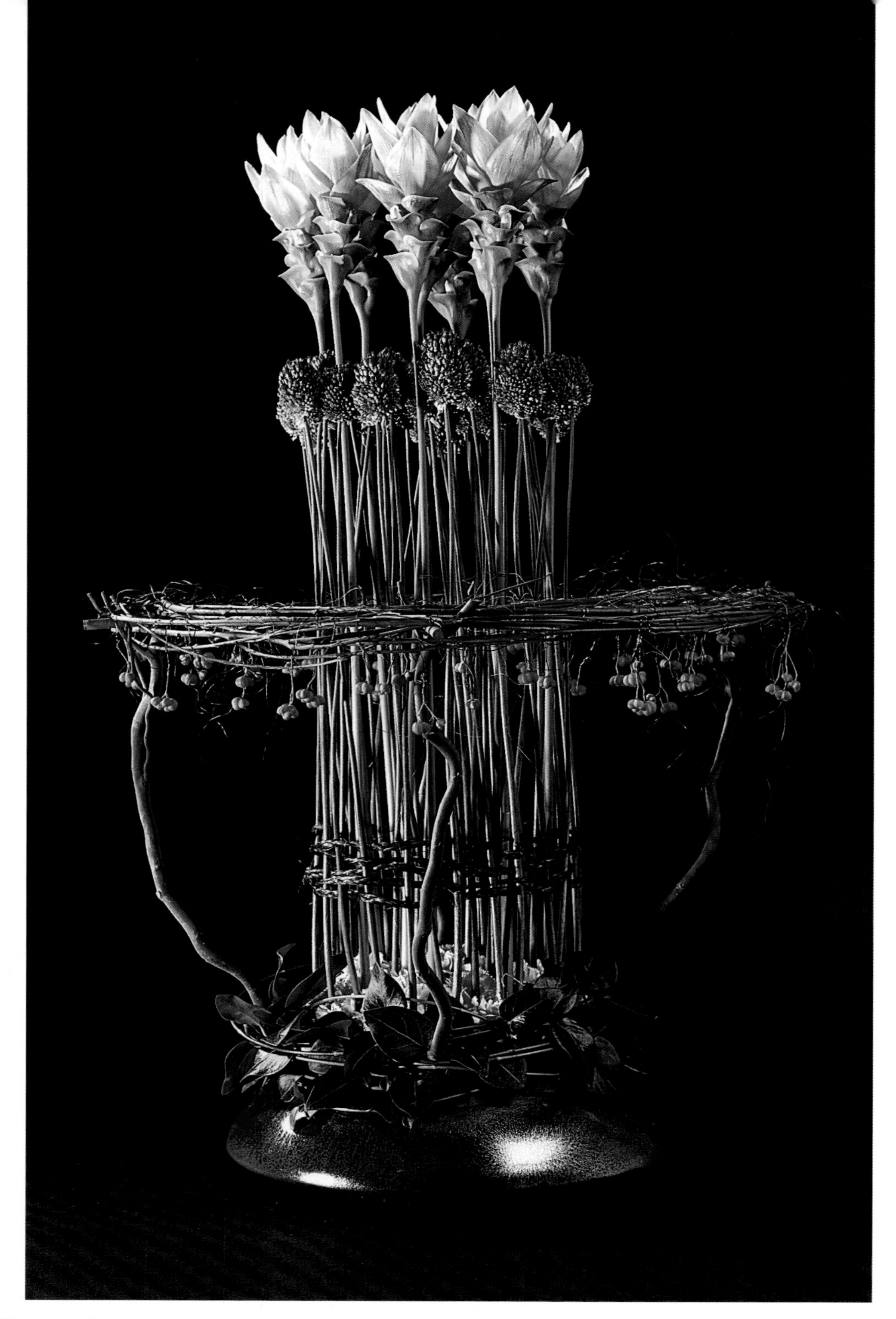

Decoratieve etages

Staande in de Mobach-schaal rijst een kolom op van *Curcuma* en *Allium*. Halfzwevend is een takkenbindsel aangebracht, waaraan de sierlijke bloempjes van de kardinaalsmuts mogen hangen.
Gebruikte materialen: Mobach-aardewerk, Oasis, *Curcuma*, *Allium sphaerocephalon*, *Salix matsudana* 'Tortuosa', *Salix alba* 'Tristis', *Euonymus europaeus*, *Vinca major*, *Dianthus caryophyllus*, metaaldraad, draad, decoration spray.

Decorative Levels

A column of Curcuma and Allium rises like a phoenix from a Mobach dish. Half suspended is a wreath shaped branch structure from which the graceful *Euonymus* flowers and berries are suspended.
Materials used are: Mobach pottery, Oasis, *Curcuma*, *Allium sphaerocephalon*, *Salix matsudana* 'Tortuosa', *Salix alba* 'Tristis', *Euonymus europaeus*, *Vinca major*, *Dianthus caryophyllus*, industrial wire, wire and decorative spray.

Zweven

Gebonden takken en ranken, in contrast met de decoratieve bladbol en de fraaie structuur van de moskrans aan de basis.
Gebruikte materialen: Ecri-aardewerk, Oasis, mos, *Cornus alba* 'Sibirica', *Prunus laurocerasus* 'Zabeliana', *Aristolochia macrophylla, Salix matsudana* 'Tortuosa', rozenbottel, Dekofaser, metaaldraad.

Suspended

Bound twigs and tendrils contrast dramatically with the decorative foliage covered sphere and the structure of the moss wreath at the base.
Materials used are: Ecri pottery, Oasis, moss, *Cornus alba* 'Sibirica', *Prunus laurocerasus* 'Zabeliana', *Aristolochia macrophylla, Salix matsudana* 'Tortuosa', rosehips, decorative material Dekofaser, industrial wire.

Tulpenspel
Playful tulips

VORMGEVING — DESIGN

Bloemsierkunst is vooral een praktisch, beeldend en creatief vak (of hobby). Beeldende vakken doen een beroep op onze intelligentie en creatieve inspiratie, maar vooral ook op onze mogelijkheden op het algemeen bekende filosofische vlak van het:

- ruimtelijke, visuele; het kijken
- logische, mathematische; het redeneren
- taalkundige, verwoordende; het benoemen
- praktische, technische; het rationeel/zakelijke
- sociale, communicatieve; het communiceren
- creatieve, ontdekkende; het originele, het nieuwe
- emotionele, gevoelsmatige; het persoonlijke, sensuele
- ethische en milieubewuste; het verantwoordelijke

Bloemsierkunst op een verantwoorde manier en op kunstzinnig niveau bedrijven betekent dat voornoemde elementen daarin in meerdere of mindere mate een, soms gezamenlijke, rol spelen. Afhankelijk van de schikking zullen één of meer aspecten een bepalende rol spelen en het werk beïnvloeden, de boventoon voeren of de hiërarchie bepalen. Beeldend bezig zijn, bloemwerken scheppen, houdt meer in dan zomaar wat bloemen bij elkaar zetten. Er moet een 'Gestalt' ontstaan, een bloemwerk met een eigen uiterlijk en innerlijk, een persoonlijkheid en dynamiek.
En dan is er ook nog zoiets als een communicatief aspect; het bloemwerk moet bij voorkeur verstaan, begrepen worden. Het is niet nodig dat iedereen het werk apprecieert; het mag ook discussie uitlokken. Het gaat zeker niet alleen om mooi of lelijk. Juist omdat deze begrippen erg vaag en subjectief zijn, kunnen we er eigenlijk niet zoveel mee. Kennis van vorm en kleur is daarentegen essentieel, omdat we ons met behulp hiervan bewuster worden van de redenen waarom iets als mooi of lelijk wordt ervaren. Besef en kennis maken het gemakkelijker zelf tot een hoger bloemsierkunst-niveau te komen, de eigen talenten te exploreren. Het is daarom goed het hele proces van bloemschikken objectief te bekijken, te analyseren, aan de hand van het schema op pag. 26.

STYLING — DESIGN

Flower arranging is first and foremost a practical, expressive and creative profession or hobby. Visual arts call on our intelligence and creative inspiration, but also on our capacity to use the generally accepted philosophical faculties listed below:

- spacious, visual: seeing
- logical, mathematical: reasoning
- linguistic, expressive: proposing
- practical, technical: the rational/business like
- social, communicative: communication
- creative, discovering: original, the new
- emotional, feelings: personal, sensual
- ethical and environmental: responsibility

To arrange flowers in a responsible and artistic fashion means, that the elements just mentioned have to play a more or less, or sometimes combined, role. Depending on the arrangement, one or more aspects will be playing an important role, and will influence the design; whether it dominates will determine the hierarchy in the composition.
Being expressive and creative, flower arranging is more than putting some flowers together. There should be a certain "Gestalt" present; a floral design with its own expression, personality and dynamism. There is also a communicative aspect; the arrangement should, in a symbolic sense, be heard and understood. Not everyone has to appreciate or accept the design. It could even evoke a discussion. It does not necessarily mean beautiful or ugly. Especially, because these concepts are often vague and subjective and will not help us that much. Knowledge and understanding of form and colour is essential, because it makes us more aware why something is experienced as beautiful or ugly. Awareness and knowledge makes it easier for us to aspire to a higher level of floral art and to explore our own talents. We will try therefore, to look at it more objectively and analyze more deeply, according to the diagram on page 27.

gerealiseerd ofwel vormgegeven. Vrije of informele vormgeving vereist grondige kennis van vormgevingsprincipes, de relaties tussen de te hanteren design-elementen, alsmede ervaring in het schikken. Het is van belang dat bloemsierkunst evolueert en nieuwe manieren vindt om te communiceren met de mens en zijn omgeving en non-conformistisch wordt. Ook als een eigen stijl wordt nagestreefd moet deze aan verandering onderhevig zijn, moet groeien en ontwikkelen, anders wordt het een dodelijke herhalingstruc. Bezie eens het werk van Van Gogh, Miro, Mondriaan of Picasso en ontdek de geweldige groei en verandering in hun werk. Streef naar vitaal bloemwerk dat een bepaalde kracht uitstraalt.

De vormgeving bepaalt het uiterlijk van het bloemwerk. Als dit niet aanspreekt, dan zal men het bloemwerk niet mooi vinden. Termen als slordig of rommelig liggen dan snel voor de hand. Alleen als we ons op het gebied begeven van de creatieve variaties op een stijl kunnen we ons zijwegen veroorloven. Om nu meer te weten te komen over vormgeving werken we een aantal begrippen uit.

Compositie

Er moet worden gezocht naar de juiste verhoudingen en we moeten goed weten wat we willen met de centrale (groei)bindpunten en hoe deze zich moeten ontwikkelen. Er moet evenwicht (yin-yang) bestaan tussen de verschillende onderdelen van de schikking. Dit geldt voor de vormelementen, maar ook voor kleur. Hoe spannender het evenwicht is des te opvallender is de totale compositie. Het evenwicht kan statisch (stijf, rustgevend) of dynamisch (beweeglijk, spannend) zijn.
Vanuit de losse onderdelen (chaos) trachten we tot orde en harmonie te komen. Behulpzaam hierbij is het groeperen van de materialen naar vorm, soort of kleur. Door contrasten na te streven zal de compositie steeds meer gestalte krijgen. In het geheel van de compositie speelt uiteraard ook de hiërarchie een voorname rol. Om hiërarchie te bereiken laten we bepaalde vormen, kleuren of groepen als duidelijkste en belangrijkste naar voren komen. Vergelijk dit maar met een toren die in het platte land de omgeving domineert.
De hoeveelheid van de te verwerken materialen bepaalt mede het eindresultaat. Hoe weinig of hoeveel gebruiken we en hoe wordt het toegepast. We kunnen in dit verband ook spreken van verarming (vereenvoudiging) of verrijking. Als verrijking uitmond in overdaad, dan ontstaat een barokke uitstraling. Verarming kan leiden tot saaiheid of schrielheid, maar kan ook een krachtige robuuste vormgeving tot stand brengen. Kijk eens naar hoe 'de Stijl', Mondriaan of 'Zen' (een boeddhistische filosofie) tot een harmonisch interieur of tuinontwerp leidt — eenvoud met maximale schoonheid en kracht. Elke compositie betekent opnieuw bepalen hoeveel of hoe weinig. Ook de oude Chinese wetenschap Feng Shui is een weg naar volledige harmonie. Feng Shui ('wind en water') streeft naar totale harmonie en balans van de omgeving met de natuur als centraal punt. Door deze harmonie ontstaat een positieve energiestroom. Feng Shui is alleen toepasbaar indien de Chinese denkwijze en filosofie volledig wordt begrepen en dat is voor westerlingen bijna onmogelijk.

Veel leren we over compositie als we kijken hoe de natuur alles heeft opgebouwd wat vorm, verhouding en kleur betreft, van een enkele bloem tot een heel oerwoud of de onderwaterwereld van de zee. Ook in de muziek is sprake van compositie,

thorough knowledge of design principles and the relation between the design elements, including experience in arranging. It is important that floral art evolves and find new ways to communicate with man and his surroundings in a non conformist way. Even if we strive for our own style, it should be subject to change and should grow and develop, otherwise it will become stagnant. Look at the works of Van Gogh, Miro, Mondriaan or Picasso to discover the tremendous growth and change in their work. Endeavour to keep your arrangement vital and radiate your personality.

Design determines the outcome of the arrangement. If it does not speak or arrest you, it will not be admired by others. Terms like carelessness and cluttered are then easily applied. Only when we venture into the area of creative variations in a style are we able to diverge. We will now discuss a variety of concepts pertaining to design.

Composition

We are looking for the right proportions and should know what to do with the central (growth) binding points and how they should develop. There should be balance (yin-yang) between the various parts of the arrangement. This pertains to the form elements, but also colour. The more dynamic the balance, the more eye catching the total composition will be. The balance can be static (restful) or dynamic (restless). From the different parts (chaos) we try to bring order and harmony. Helpful is the grouping of material qua form, variety and colour.
The composition will gain in prominence by using contrasts. The hierarchy plays an important role in the whole of the composition. To reach this goal, we should arrange certain forms, colours or groups in such a way, that the important elements dominate. Compare this analogy to a church tower. which dominates the surrounding country side. The amount of material determines the end result. It depends how little or how much we use and how it is applied.
In this context, we can speak of simplification or enrichment. When enrichment leads to overabundance the result will be a baroque looking arrangement. Over simplicity can lead to boredom or sparseness, but can also bring forth a powerful and robust design.
Look to the 'Style' (an art movement of the early 1900's), how Mondriaan or 'Zen' (a buddhist philosophy) can lead to an harmonious interior or garden design, through simplicity with maximum beauty and strength. Each composition presents a choice, how much or how little. The old Chinese Feng Shui is a way to complete harmony. Feng-Shui ('wind and water' strive toward total harmony and balance of the surroundings, with nature being at the centre. Thus harmony provides a positive energy. Feng-Shui should only be used, when Chinese thoughts and philosophy are completely understood, which from a western perspective is almost unattainable.

We can learn a great deal by closely observing nature, especially form, proportion and colour. From a single blossom to a jungle to the deep sea and all that lives within.

In music, we also talk about composition, tonalities and combinations of structure and rhythm. In paintings, we see beautiful examples of static and dynamic compositions. Look at the works of Rembrandt, Van Gogh, Mondriaan, Kandinsky,

van de toonhoogten en combinaties, van structuur en ritme. In de schilderkunst kunnen we veel fraaie voorbeelden vinden van statische en dynamische composities. Kijk eens naar werk van Rembrandt, Van Gogh, Mondriaan, Kandinsky, Malewitsch, Miro, Jackson Pollock, Karel Appel, Willem de Kooning, Ettore Sottsass en Alessi. Verschillende design-elementen spelen een belangrijke rol in de compositie, het is altijd een samenspel, de delen maken samen het geheel tot iets boeiends.

Vegetatief contra decoratief

Er zijn vele compositiemogelijkheden, maar de meest toegepaste zijn vegetatief en decoratief. Daarbinnen kan worden gekozen voor een lineaire of parallelle vormgeving of voor combinatievormen.

Vegetatief houdt in dat we schikken zoals de bloem in de natuur groeit. Hierbij is de ecologische situatie maximaal in de schikking weergegeven. De materialen worden soms groepsgewijze verwerkt en vaak wordt in de schikking gebruik gemaakt van het principe van niveauverschil.

Decoratief zijn de schikkingen waarbij het materiaal ondergeschikt is aan de vormgeving. Het wordt dan tot een kleurvlak of een vorm- of lijnelement. Geometrische vormen zoals de bol, kubus, kegel, cilinder en piramide spelen een belangrijke rol in veel soorten decoratief bloemwerk. Geometrisch bloemwerk is decoratief, maar ook sommige lineaire en parallelle bloemwerken. Er zijn ontelbaar veel mogelijkheden in decoratief bloemwerk. Een voorwerpversiering, cadeauschikking, Hogarth-schikking, biedermeier, millefleur, L-vorm, eenzijdige driehoekschikking zijn allemaal decoratief.

Lineair bloemwerk wordt altijd gekenmerkt door lijn en ruimte. Deze lijnen kunnen strak zijn of sierlijk, of combinaties hiervan. Ook kruisende lijnen behoren tot de mogelijkheden. Kenmerkend blijft de lijn en de lege ruimte; vorm en contravorm. Hoe meer nadruk op de lijn, des te grafischer het werk.

Parallelle schikkingen ontstaan wanneer minstens twee lijnen evenwijdig aan elkaar zijn. Het maakt niet uit of dit strakke of grillige lijnen zijn. Veelal is een parallelschikking gelijktijdig ook lineair of andersom. Het lineaire of parallelle kan zowel in de vegetatieve als in de decoratieve ordening worden toegepast. Combinatievormen komen veel voor in bloemwerk, er zijn dan meerdere vorm- of stijlprincipes in verwerkt.

Malewitsch, Miro, Jackson Pollock, Karel Appel, Willem de Kooning, Ettore Sottsass and Alessi. Various design elements do play an important role in the composition. It is always the combined action; the parts that make the whole fascinating.

Vegetative versus decorative

There are many composition possibilities in design, but the most used are the vegetative and decorative. Within this framework, we can choose a linear or parallel design, or a combination of the two.

Vegetative means that we arrange a flower the way it grows in nature. The ecological aspect is thus optimally expressed in this design. The materials are sometimes grouped, often at different heights (levels).

Arrangements are called decorative when materials are used in a subordinate manner in the design. It becomes a colour plane, a form or line element. Geometric forms, e.g. a sphere, cube, cone, cylinder and pyramid play an important role in many types of decorative flower arrangements. Geometric designs are decorative, but they could also be linear or parallel designs. There are numerous possibilities in decorative floral arrangements. A decoration of an object, an arrangement which includes a gift, a Hogarth arrangement, a Biedermeier, a Mille-fleur or posey, the form and the one sided triangular design, are all decorative designs.

Linear designs are known for line and space. The design can feature straight or curving lines, or a combination of both. Also, crossing lines belong to the realm of possibilities. Characteristic is the line and void, form and contra form. The more emphasis on line the more graphic the design.

Parallel designs are created when at least two lines are parallel to each other. It does not matter whether they are straight or curved lines. Often, parallel arrangements are simultaneously linear, or the other way around. The linear and parallel can be applied to vegetative as well as decorative designs. A combination of forms are often apparent in many arrangements, because there are more form and style principles used in these compositions.

Mooi landschap

Landschapsstijl in een decoratief-vegetatieve uitvoering met gegroepeerde materialen in verschillende texturen en contrasten.
Gebruikte materialen: metalen schaal, Oasis, mos, *Hedera, Asparagus umbellatus, Taxus baccata* 'Fastigiata', *Amaranthus hypochondriacus* 'Pygmy Torch', *Pinus mugo* var. *mugo, Hydrangea macrophylla, Sedum spectabile, Erica carnea, Erica vulgaris, Cynara scolymus, Chamaecyparis pisifera* 'Filifera', *Juniperus, Callistephus chinensis, Polygonum aubertii (Fallopia baldschuanica),* hout.

Beautiful Landscape

This landscape style design is arranged in a decorative-vegetative manner using grouped materials in various textures and contrasts.
Materials used are: Metal bowl, Oasis, moss, *Hedera, Asparagus umbellatus, Taxus baccata* 'Fastigiata', *Amaranthus hypochondriacus* 'Pygmy Torch', *Pinus mugo* var. *mugo, Hydrangea macrophylla, Sedum spectabile, Erica carnea, Erica vulgaris, Cynara scolymus, Chamaecyparis pisifera* 'Filifera', *Juniperus, Callistephus chinensis, Polygonum aubertii (Fallopia baldschuanica),* driftwood.

Elegantie

Opgaande lijnen, ruimte en elegantie met *Anthurium*.
De exotische uitstraling van deze fraaie bloem daagt telkens uit iets nieuws te proberen. De kern wordt gevormd door de driehoekige constructie van rode *Cornus*-takken.
Gebruikte materialen: aardewerk van 'In kannen en kruiken', mos, *Cornus alba* 'Sibirica', *Dracaena*, *Asparagus densiflorus* 'Meyers', *Asparagus setaceus*, *Anthurium* 'Cancan', *Anthurium clarinervium*, *Dianthus caryophyllus*.

Elegance

Rising lines, space and elegance with *Anthurium*.
The exotic appearance of this beautiful flower challenges one to try unusual variations anew.
The core of the arrangement was formed by the triangular construction of red *Cornus* branches.
Materials used are: Pottery from: 'In Kannen en Kruiken', moss, *Cornus alba* 'Sibirica', *Dracaena*, *Asparagus densiflorus* 'Meyers', *Asparagus setaceus*, *Anthurium* 'Cancan', *Anthurium clarinervium*, *Dianthus caryophyllus*.

Verhouding

Het is niet altijd eenvoudig te zeggen of te beredeneren of de verhouding in een bloemwerk goed is. Er is wel een aantal basisregels te geven, maar deze kunnen we soms ook weer vervangen voor andere. Regels voor hoogte, breedte en diepte hangen mede af van de structuur van de materialen en de kleurcombinatie. Zwaarte van vormen en kleurvlakken spelen hierin een grote rol, evenals de richting van de as(sen) in de schikking. Er komt natuurlijk ook veel van het eigen gevoel voor harmonie bij kijken. Het gaat erom een evenwichtige en interessante compositie te bereiken.

De gulden snede is een ideale verhoudingsformule, die vaak bij het vormgeven wordt toegepast. Bij sommige stijlschikkingen zijn de ideale verhoudingen traditioneel vastgelegd. Veel vindt zijn oorsprong in de principes van de gulden snede, die al eeuwen oud is. De gulden snede leert ons dat als we een lijn met 0,618 vermenigvuldigen, de delen een ideale verhouding hebben. Opvallend is dat dit overeenkomt met de in de bloemsierkunst vaak toegepaste verhouding 3:5. Het is overigens maar een hulpmiddel.

Golden Section

It is not always easy to explain, whether the proportion used in a floral arrangement is correct or not. There are a number of basic rules, but these too can be substituted for others. Rules for height, width and depth depend on the structure of the materials and the colour combination. The apparent weight of forms and colour planes do play a large role, including the direction of the axis in the design. Often, it depends on a personal sense or feeling for harmony. We have to try to create a balanced and interesting design.

The golden section is an ideal formula for proportion, often used in design. Some style arrangements have a traditional formula for ideal proportions. The origin of the Golden Section is centuries old. The Golden Section teaches us that if we multiply a line by 0.618, the parts will have an ideal proportion. It is interesting to note, that this corresponds to the 3:5 ration in flower arranging and is often used as a guide.

Twee-eenling

Gerbera-bloemen zijn in elkaar verstrengeld en worden daardoor één. De aparte Mobach-vazen dragen sterk bij aan de vormgeving van het arrangement, nog benadrukt door het houten plateau met dezelfde vormkenmerken.
Gebruikte materialen: *Gerbera, Ageratum houstonianum,* koperdraad.

Two-foldness

Gerbera flowers are entwined together and become one. The unusual Mobach containers contribute strongly to the overall design and are further enhanced by the wooden base of similar dimensions.
Materials used are: *Gerbera, Ageratum houstonianum,* copper wire.

Natuurlijk sierlijk

Deze fraai gestileerde vaasvorm in Art deco-stijl speelt een spel met de sierlijke lijnen die nog een link met de voorafgaande Jugendstil vertegenwoordigen. Elk detail straalt door de eenvoud kracht uit.
Gebruikte materialen: *Anthurium* 'Midori', *Aspidistra elatior, Cryptomeria, Galax, Dianthus caryophyllus.*

Naturally Graceful

The beautiful stylized vase form in Art Deco style plays with the elegant lines which form a link with the preceding Art Nouveau period. Each detail expresses strength through simplicity.
Materials used are: *Anthurium* 'Midori', *Aspidistra elatior, Cryptomeria, Galax, Dianthus caryophyllus.*

Decoratief spel

Klassieke vormprincipes zoals de ringvormen zijn toepasbaar op een eigentijdse compositie. Vooral de combinatie en de plaatsing zijn bepalend voor het effect. Ook de eigenwijze vaas eist een eigen plaats op in het geheel.
Gebruikte materialen: *Celastrus orbiculatus, Cucurbita, Echinacea purpurea, Clematis, Galax urceolata.*

Decorative Play

Classic form principles, such as the ring forms are applicable in a contemporary composition. Particularly, when the combination and placing of the materials determines the effect. The unusual and playful looking vase demands its own place in the composition.
Materials used are: *Celastrus orbiculatus, Cucurbita, Echinacea purpurea, Clematis, Galax urceolata.*

Ultra decoratief

Een schitterende glazen vaas van kunstenaar Mischa Ignis dient als uitgangspunt voor deze zeer decoratief strak georganiseerde compositie. Alle vormen zijn optimaal zuiver gehouden voor maximale kracht.
Gebruikte materialen: *Equisetum japonica, Lilium longiflorum, Galax urceolata, Laurus nobilis, Craspedia globosa,* plastic, koperdraad en gelakt draad.

Ultra Decorative

A magnificent glass vase created by artist Mischa Ignis forms the base for this very strongly organized, decorative composition. All forms are kept optimally pure for maximum strength and expression.
Materials used are: *Equisetum japonica, Lilium longiflorum, Galax urceolata, Laurus nobilis, Craspedia globosa,* plastic, copper wire and lacquered wire.

3 Kleur

Omdat kleur zo direct en prominent, soms zelfs dominant, aanwezig is, moeten we in het ontwerp voor het bloemstuk hiermee rekening houden. Kleurgevoel hebben we meestal van nature wel, maar ieder van ons kan dit ook voor een belangrijk deel ontwikkelen. De kleurencirkel helpt mee zicht te krijgen op goede kleurencombinaties. De keuze van het kleursysteem (Itten, Gerritsen, Munsell e.a.) bepaalt sterk de uitkomst van de kleurcombinaties. Er is geen universele kleurwaarheid.
De kleurkenmerken bepalen samen hoe een kleur eruitziet. Het zijn onmisbare aanduidingen voor kleuren: kleurtoon, grijswaarde en verzadiging. Deze internationale begrippen komen van de kleurkundige Munsell. Elke bloem heeft deze drie kenmerken in zich.
Kleurtoon (hue) (kleursoort) duidt de kleur die wij zien aan. Het is de kleur van de kleur; bijvoorbeeld rood. Hoe een kleur eruitziet hangt mede af van de omgevingskleuren en het aanwezige licht. Het aantal kleurtonen is onuitputtelijk.
Grijswaarde (value) is de lichtheid van een kleur. Het geeft aan in hoeverre een kleur licht dat erop valt, kan reflecteren.
Verzadiging (chroma) geeft aan hoe zuiver een kleur is. Een zuivere kleur heeft zijn volste, sterkste en meest expressieve kleurkarakter. Hoe meer grijs, wit of zwart in de kleur aanwezig is, des te minder verzadigd is deze.

Een goede kleurenharmonie is van grote waarde. Het betekent dat de combinatie van de gekozen kleuren mooi wordt gevonden. Het gaat om kleine details die een combinatie interessant maken. Kleur en vorm zijn nauw met elkaar verweven. De vorm wordt sterk beïnvloed door de kleur die hij heeft. Ook deelelementen zoals de maat, de textuur, de materiaalkeuze en dergelijke bepalen mede het eindresultaat van harmonie en verhouding. Met kleuren kunnen we iemand tot ontroering, tot emotie brengen. Kleuren kunnen zowel positief als negatief ontroeren, agressie of sympathie opwekken. Hierdoor kan een vorm van communicatie ontstaan. Zeker ook in het religieus gebruik van kleur is communicatie erg belangrijk. De bloemsierkunstenaar tracht soms zijn gevoelens via zijn bloemwerk kenbaar maken en hierdoor te communiceren. De uitstraling die een kleur of een combinatie van kleuren heeft, bepaalt voor een deel de communicatieve waarde. Enkele voorbeelden in dit verband zijn: stralende kleuren, saaie kleuren, sensuele kleuren, zwoele kleuren, warme of koude kleuren, rijke of arme kleuren, juichende kleuren, snelle kleuren, terughoudende kleuren, droeve kleuren, uitdagende kleuren, enge kleuren, harde of zachte kleuren, romantische kleuren.

Het effect van een bloemstuk wordt vooral bepaald door de vormgeving, de uiterlijke vorm, maar ook door de keuze van het materiaal, door groeperen, mengen of ritmisch verwerken. De symmetrie of asymmetrie van de schikking is ook van belang. Vormgeving kent vele interessante elementen die alle op een eigen wijze kunnen bijdragen aan het totale beeld van het bloemstuk. De kleurcompositie is daarbij van grote invloed omdat kleur toch altijd als eerste opvalt. De keuze van de kleuren heeft directe invloed op de vorm en op de eenheid van de schikking, dus op de ruimtelijke werking van zowel de vorm als het totale kleureffect.

3 Colour

Because colour is so direct and prominent, and often a dominant factor in a design, we should take this into consideration when making an arrangement. Most of us do have a colour sense by nature, but we can still enhance this by additional study. The colour wheel is an excellent guide to help us achieve a good colour combination. The choice of colour systems (Itten, Gerritsen, Munsell etc.) determine for the most part the outcome of a colour combination. There are no universal colour truths. The colour characteristics together determine the way we see a colour. They form the unmistakably indicators for colour, colour tone, grey value and saturation. These international concepts are from the colour scientist Munsell. Each flower possesses these three colour attributes.
Colour Tone (Hue). A hue refers to one colour as distinct from another, for example red. Colour is influenced by its surrounding colour and the available light. The number of colour tones is inexhaustible.
Grey Scale (Value). Value refers to the lightness or darkness of a colour. It shows how much light can be reflected from a surface.
Saturation (Chroma). Chroma refers to the purity of a colour. A pure colour has maximum saturation and shows the most expressive colour characteristics. When more grey, white or black is present in a colour, the less saturated the colour becomes.

A good colour harmony is invaluable. It means that the combination of the chosen colour has a great deal of appeal. Little details make a colour combination interesting. Colour and form are closely interwoven. The form is strongly influenced by colour. Also, the design components, such as scale, texture, material choice etc. determine with colour the end result of harmony and proportion. With colours, we can arouse certain emotions. Colours can touch us in a positive or negative way, or incite aggression or sympathy. Clearly, we do communicate through colour. In religion, the use of colour to communicate is very important. The floral artist tries at times to express his/her feelings via floral art in order to communicate. The way a colour or a combination of colours exudes or radiates determine in part the communicative value. A few examples in this instance are: brilliant, dull, sensual, sultry, warm or cool, harsh or soft and romantic colours.

The effect of a floral arrangement is primarily determined by the design, the outward appearance, but also through the choice of material, by grouping, mixing and rhythmic arranging. The symmetry or asymmetry of an arrangement is also important. There are many interesting elements, which in their own way contribute to the success of a design. The colour composition has a great influence in design because it is usually the first thing being noticed. The choice of colour has a direct influence on the form and the unity of the arrangement, including the space relationship between the form and the total colour effect.

Anders dan gewoon

Een vrije parallelschikking in eigentijdse kleurcontrasten. Er is een opvallende kruising tussen de verticale en de horizontale lijnen. Decoratief opgerold blad versterkt het verticale effect. Gebruikte materialen: metalen bak, *Strelitzia reginae, Retzia capensis, Sarracenia flava, Limonium sinuatum, Bergenia cordifolia, Achillea, Hedera, Leucobryum glaucum,* tule, leisteen, limoenen, perspex.

Unusually different

A free form parallel arrangement is designed in a bright contemporary colour contrast. There is a dramatic crossing between the vertical and horizontal lines. Decorative rolled leaves strengthen the vertical effect. Materials used are: Metal tray, *Strelitzia reginae, Retzia capensis, Sarracenia flava, Limonium sinuatum, Bergenia cordifolia, Achillea, Hedera, Leucobryum glaucum,* tulle, slate, limes, plywood.

Bij een ritmisch kleurgebruik, de herhaling van een kleur, in een schikking spreken we van het toepassen van intervallen, net als in de muziek. Een interval kan op één lijn zijn geplaatst, maar kan ook bijvoorbeeld in een ronde vorm als van een biedermeierschikking worden toegepast. Het gaat om plaatsing en herhaling. Een goede ritmische plaatsing kan meer stabiliteit geven aan het geheel van de schikking. Eenheid in het geheel van vorm en kleuren ontstaat gemakkelijker door het herhalen van kleuren in de schikking.
Gebruiken we veel of weinig kleuren in de combinatie? Een combinatie van weinig kleuren, een beperkt kleurenpalet, maakt het gemakkelijker om een evenwichtige situatie te bereiken, vooral als we kleuren gebruiken die niet sterk contrasteren en deze ook nog eens binnen de schikking ritmisch herhalen. Kiezen we een kleurrijke combinatie dan wordt de plaatsing van de individuele kleuren nog belangrijker. We kunnen hiermee verschillende kanten op, bijvoorbeeld groeperen per kleur, van kleur naar kleur laten verlopen of geheel mengen Er kunnen een of meer kleuren overheersen, andere kunnen een ondergeschikte rol vervullen. Het kiezen van kleuren met een klein verschil in gradatie (helderheid of verzadiging) noemen we combinaties met een klein interval. Vooral in de natuur komen deze combinaties oneindig voor. Het leidt ook in bloemwerk tot verrassend harmonieuze kleurgevoelens, denk maar eens aan een warme herfstcombinatie van aardebruinen, gelen en warmroden.

Een paar kleurvoorbeelden
We kunnen kleuren zo kiezen dat er een relatie ontstaat. Alle kleuren kunnen bijvoorbeeld naar elkaar neigen: rood, roodachtig paars, roodachtig oranje, roodachtig blauw, roodachtig groen. Door de kleurrelatie ontstaat dan eenheid in het geheel.

Als we de schikking uit kleurlagen opbouwen, doen we dit door te starten met een onderlaag in bijvoorbeeld blauwe nuances. We plaatsen over deze onderlaag een bovenlaag van roze, rode, oranje, groene of gele kleuren. Als we de onderkleur door de bovenlaag laten schijnen, gaan de kleuren elkaar beïnvloeden in de gezamenlijke harmonie.

Als we kleuren combineren die dezelfde waarde hebben voor wat betreft verzadiging of helderheid, dan zullen deze in de combinatie min of meer vervagen daar waar ze op elkaar aansluiten.

Stel eens een basiskleur samen, bijvoorbeeld groene en grijze bladsoorten met zachtblauwe bloemnuances. Maak eens vijf dezelfde basissen klaar. Plaats over elk hiervan een andere kleur: rood, oranje, geel, roze of wit. U zult zien dat het effect per combinatie zeer kan verschillen. Als we nu de basiskleur vervangen door een andere kleur, dan ontstaat weer een aantal andere interessante combinaties.

With rhythmic colour usage, e.g. the repetition of a colour in an arrangement is often referred to as intervals, as in music. An interval can be placed in one line, but can also be used in a round form such as a Biedermeier. It is about placing and repetition. A good rhythmic placement will result in greater stability in the design. Unity in the whole of the form and colour is easier to accomplish when we repeat the colours in the arrangement. Do we use too much or too little colour in the combination? When we use a combination of few colours, e.g. a limited colour palette, it is easier to achieve a more balanced design, especially when we use colours with limited contrast, and apply these rhythmically within the arrangement.
When we choose a colourful combination, the placing of the individual colours becomes even more important. However, we do have some room to manoeuvre, for example: the grouping of colours, the gradation from colour to colour or to blend all the colours together. One or more colours should dominate, others play a role in a subordinate fashion. The choosing of colours with a little difference in gradation (purity or saturation) are called small interval or (harmonious repetition) combinations. Especially in nature do we see a multitude of these combinations. It also leads us to flower arrangements which are composed of wonderfully harmonious colour sensations, for example a combination of warm autumn colours in earth browns, yellows, oranges and warm reds.

A few examples about colour
Colours may be chosen in such a way that a relation between them is formed.

For example, when all colours incline towards each other, such as red, red purple, red orange, red blue and red green, unity will be formed through this colour relationship.

When we use layers of colours in our design, we can start, for example, with blue colour nuances at the base. Over this blue layer we place a top layer of pink, red, orange, green or yellow colours. When we let the bottom colour shine through to the top layer, we will find that these colours influence each other in a complete harmony.

A combination of colours with the same tonal value in saturation or clarity will be blurred when placed next to each other.

Let us arrange, for example, a base colour such as green or grey foliage, together with soft blue nuances. If you now prepare five of the same bases and place a different colour over each one, red, orange, yellow, pink or white, you will see that with each combination dramatic changes can occur.
When we change the base colour to another colour, we will see another series of interesting colour combinations.

Kussenvorm

Deze schikking heeft een lage platte vormgeving, als een kussen. De structuren en contrasten tussen de materialen en kleuren geven het een eigen karakter. Een extra laag en een ruimtelijke werking ontstaan door de speelse ranken en stelen van *Anthurium*.
Gebruikte materialen: *Anthurium, Skimmia japonica, Aristolochia, Dianthus caryophyllus, Hedera,* mos, wortels, *Thuja occidentalis.*

Pillow Form

This arrangement is designed in a low flat composition like a pillow. The structures and contrasts between the materials and colours give it their own characteristics. An extra layer, and spacious effects are created by the playful tendrils and the stems of Anthuriums.
The materials used are: *Anthurium, Skimmia japonica, Aristolochia,Dianthus caryophyllus, Hedera,* moss, roots, *Thuja occidentalis.*

Kleurrijk

Een vrolijke decoratieve compositie in vele contrasterende kleuren. Een centrum met een grote kijkvariatie. De sierlijke decoratieve bindsels ontspringen uit de rijk geschakeerde textuurbol die op de metalen vaas is geconstrueerd.
Gebruikte materialen: *Anthurium, Leucospermum, Salix matsudana* 'Tortuosa', *Salix alba* 'Tristis', *Cytisus, Galax urceolata, Thypa*-blad, *Craspedia globosa, Cryptanthus, Echinacea purpurea, Chamaecyparis obtusa* 'Nana Gracilis', vellenmos.

Colourful

A happy, decorative composition is designed in a multitude of contrasting colours. The centre of the composition provides a rich viewing opportunity. The graceful, decorative bindings originate from the rich multi-coloured textured sphere, which is mounted on a metal vase.
Materials used are: *Anthurium, Leucospermum, Salix matsudana* 'Tortuosa', *Salix alba* 'Tristis', *Cytisus, Galax urceolata, Thypa* foliage, *Craspedia globosa, Cryptanthus, Echinacea purpurea, Chamaecyparis obtusa* 'Nana Gracilis', sheet moss.

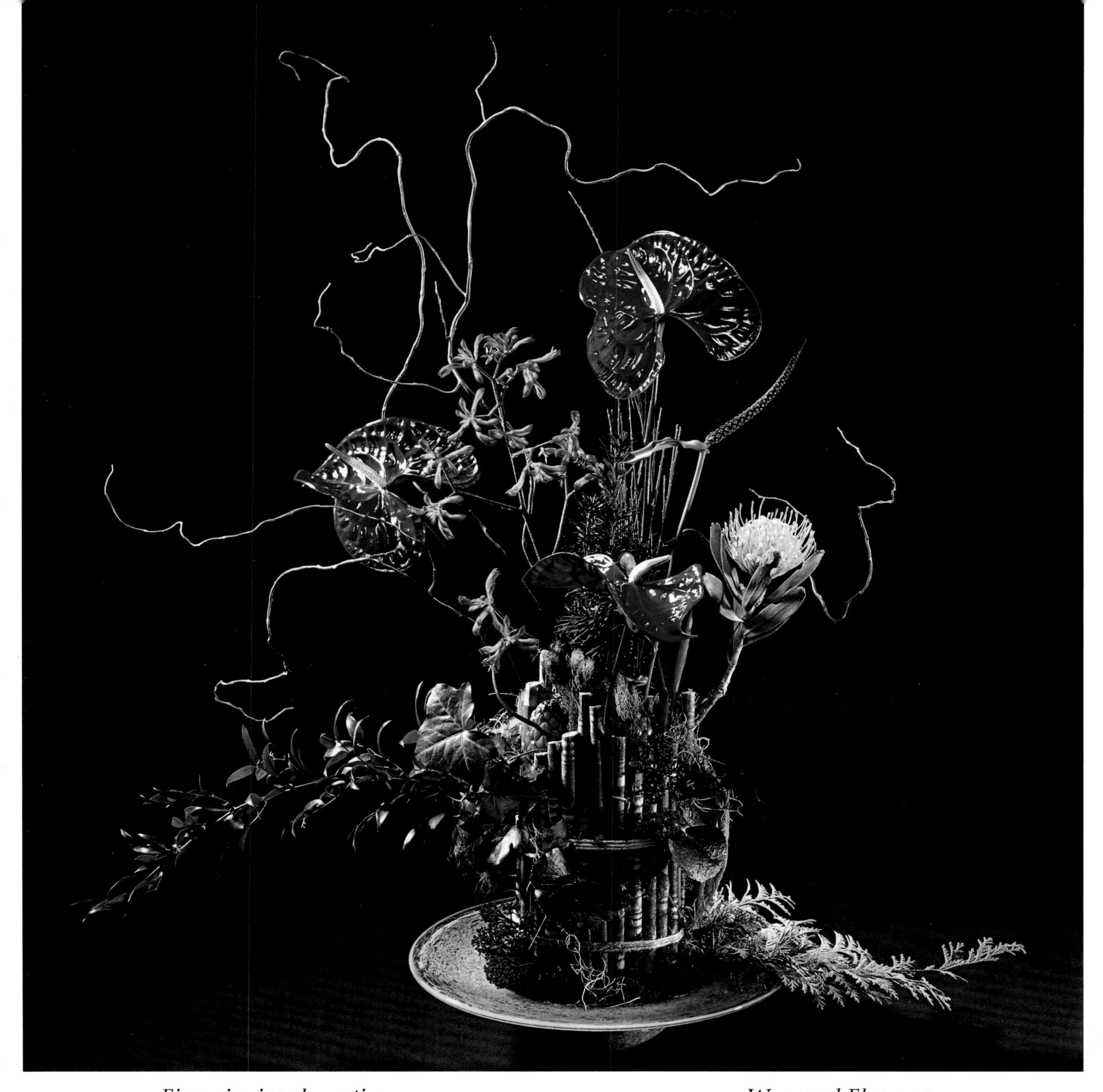

Eigenzinnige elegantie

In een fraaie glazen schaal is op Oasis een bundel gemaakt van bloemstelen. Hierin en doorheen spelen de materialen hun eigen sierlijke spel. Vooral de schoonheid van de bijzondere bruine *Anthurium* valt op.
Gebruikte materialen: *Skimmia, Anthurium* 'Choco', *Anthurium clarinervium, Galax urceolata, Tillandsia usneoides, Danae racemosa, Cytisus, Tillandsia flabellata*, vellenmos, kussentjesmos, *Salix, Chamaecyparis lawsoniana* 'Stewartii', *Anigozanthos, Leucospermum, Taxus baccata* 'Fastigiata', palm, draad.

Wayward Elegance

A beautiful glass dish features a bundle of flower stems mounted on a bed of Oasis. Within and through the stems the materials play their own graceful dance. The unusually brown coloured Anthurium is particularly eye catching.
Materials used are: *Skimmia, Anthurium* 'Choco', *Anthurium clarinervium, Galax urceolata, Tillandsia usneoides, Danae racemosa, Cytisus, Tillandsia flabellata*, sheet moss, bun moss, *Salix, Chamaecyparis lawsoniana* 'Stewartii', *Anigozanthos, Leucospermum, Taxus baccata* 'Fastigiata', palm, wire.

4 Kunst

Kunst gaat over het scheppen van een nieuwe werkelijkheid, iets nieuws. Het kan een uiting zijn van een gevoel, een beleving, een emotie. Het is een weergave met behulp van een bepaald materiaal. Voor een schilder is dat verf, voor een beeldhouwer steen of hout, voor de modeontwerper stof, voor de bloembinder zijn dat bloemen en aanverwante materialen. Kunst hangt nauw samen met onze maatschappij en politiek. Via kunstgeschiedenis neem je kennis van de historische ontwikkelingen. Dit zijn onze wortels uit het verleden, die ons voor een groot deel hebben gemaakt tot wat en wie wij nu zijn. Ook de bloemsierkunst heeft een lange geschiedenis achter de rug. Hoe wij nu schikken is gedeeltelijk gebaseerd op het verleden. De eigentijdse bloemsierkunstenaar moet, wil hij een eigen stijl creëren, nieuwe vormen van kunst, van schoonheid ontdekken.
Bloemsierkunst optimaliseren in een versiering betekent dat er een fijnafstemming moet zijn tussen het gebouw, het interieur, de kleur, de materialen, de sfeer en de bloemwerken. Verbrokkeling moet worden voorkomen alhoewel dit als methode op zich interessant is. In de futuristische kunst, begin 20ste eeuw, was dat het geval. De 20ste eeuw heeft vele inspirerende kunstvormen voortgebracht, zoals de Jugendstil, art deco, Bauhaus, De Stijl en Memphis. De bloemschikker kan veel leren van elke kunstvorm — klassiek, modern of avantgardistisch.

Cultuur
Dit is het geheel aan wat onze maatschappij is geworden op het gebied van literatuur, dans, mode, muziek, kunst, bloemsierkunst e.d. Het is een deel van onszelf geworden. Je verdiepen in je eigen cultuur en in die van andere landen verrijkt je leven enorm. Je gaat daardoor verbanden zien tussen alles om ons heen en je zult daardoor alles, dus ook de bloemsierkunst, beter gaan begrijpen. Onze cultuurgebonden esthetische waarden zijn van grote invloed op vormgeving en stijl. Verschillende culturen denken hier anders over, daarom zijn dit belangrijke inspiratiebronnen.
Naast waarden zijn ook normen van groot belang. Dit betreft regels waarnaar ieder zich zou moeten richten. Zonder dat vervalt de maatschappij tot een jungle. Normen, waarden en ethiek gaan over wat wel en niet mag, over goed en kwaad, over hoe we ons behoren te gedragen. Een milieuvriendelijke houding is hierin heel belangrijk.

5 Technieken

Dit betreft het aanleren van vaardigheden, een diversiteit aan technieken, het gebruik van hulpmiddelen, materiaalkennis en het toepassen daarvan in het bloemwerk. Binnen dit kader spelen veiligheidsaspecten een rol, zoals beschadiging voorkomen. De techniek bepaalt voor een deel de houdbaarheid en biedt mogelijkheden te komen tot de gewenste vormgeving of oplossing van het gestelde probleem.

6 Materiaalkennis

Cruciaal is het materiaal dat wordt gekozen voor het ontwerp. Wat voor karakter heeft het? Hoe ziet het eruit? Welke kleur heeft het? Wat is de structuur en de textuur ervan? Kun je het manipuleren en is het geschikt voor het arrangement? Kun je hiervan het gewenste soort bloemstuk maken?

4 Art

Art is about the creation of a new reality, something new. It can be an expression of a feeling, an experience, an emotion. It is a reflection in a certain material. For a painter, it is paint, a sculptor uses stone or wood, the fashion designer cloth/fabric and the flower arranger uses flowers and related materials. Art is closely related to our society and politics. From art history we do learn about historical developments, as well as who and what we are. They form the roots of our past. Floral art has had a long history. How we arrange today is partly based on the past. The contemporary floral artist should, if he wishes to create his own style, discover new forms of art and beauty. Optimal decoration in floral art means that there should be a fine relationship between the building, the interior, the colour, the materials, the atmosphere and the floral arrangements.
Fragmentation should be avoided, although this method could at times be interesting. This happened during a futuristic art period of the early 20th century. The 20th century produced many inspiring art forms, e.g. Art Nouveau/Jugendstil, Art Deco, The Bauhaus, The Style and Memphis.
The flower arranger is able to learn much from each art form, classical, modern or avant garde.

Culture
This is the sum total of our society over a certain period of time. It pertains to literature, dance, fashion, music, visual arts, floral art, etc. It has become part of us. To immerge oneself in one's own culture as well as other cultures is enormously enriching. Through this, you will be able to see connections between everything around you and will, therefore, be able to understand floral art even more so. Our culture bound esthetic values do have a great influence on design and style. Other cultures think differently and are, therefore, excellent sources of inspiration.
Besides values, norms are also of great value. These are rules to which everyone should adhere. Without norms, society would crumble and lead to chaos. Norms, values and ethics are guiding us to what is and what is not acceptable in today's society, good and evil, and how we should behave. An environmentally friendly attitude is of great value.

5 Technique

This requires the study of skills, the use of design aids, a diversity of techniques, knowledge of materials and naturally, the application of the above in a flower arrangement. Within this context safety aspects do play a role, such as preventing damage to products. The technique determines, for a part, the longevity of plant materials and provides opportunities to create an appropriate design or solutions to a problem.

6 Knowledge of Materials

It is of paramount importance that the right material is chosen for the design. What are the characteristics? How does it look? What colour is it? What is the structure and texture? Can it be manipulated, and is it suitable for an arrangement? Given the materials, is it possible to create the desired effect?

Materiaalkennis betreft de levende en de dode materialen die in een bloemstuk te gebruiken zijn. Elk materiaal heeft een vorm, identiteit, sfeer, karakter en uitstraling. De eisen die hieruit volgen, kunnen niet worden genegeerd. Ook technisch zijn er beperkingen zoals buigbaarheid, houdbaarheid, vochtbehoefte en dergelijke. Belangrijk is dat de materialen en kleuren in de juiste verhouding worden gebruikt. Dit is van belang om eenheid in het arrangement te creëren.

7 Praktijktraining

Bloemschikken leer je alleen door het zelf veelvuldig en nadenkend te doen. Probeer alle technieken daarom grondig uit en probeer vormgeving en kleurcombinaties in stijlen en vrije experimentele ontwerpen tot boeiende composities te maken. Streef in uw werk voortdurend naar perfectie en breng het telkens op een hoger niveau.

8 Creativiteit

Stel originaliteit centraal. Creativiteit heeft te maken met aanleg, maar ook met intelligentie, met vermogen tot transformeren, met analyse, synthese en organisatievermogen, met leren chaos te veranderen in harmonie. Ik meen dat creativiteit sterk kan worden ontwikkeld. Je doet dit door veel te lezen over de vakrichting, door naar demonstraties en wedstrijden te gaan. Ook zinvol is het bestuderen van alles rondom ons heen, zoals de natuur, architectuur, mode en sommige tv-programma's. Het is goed om veel ideetjes schetsen, te brainstormen met jezelf of anderen en vooral zelf te schikken en uit te proberen.

9 Sensitiviteit

De zintuiglijke fijngevoeligheid, het raffinement in onze waarneming, speelt een grote rol in de verfijnde detaillering van de schikking. Gevoel en emotie spelen hierin een doorslaggevende rol. De schikking kan hierdoor een bijzondere emotionele uitstraling krijgen. Geur speelt daarbij ook een rol. Erotiek kan nog een extra element vormen. Zonder sensitiviteit bereikt bloemsierkunst nimmer haar hoogste doel.

10 Experimenteren

Om oude conventies te doorbreken moet er worden geëxperimenteerd. Er moet worden getracht nieuwe invalshoeken te vinden in vormgeving, kleurgebruik en materiaaltoepassing. Door het experiment en de vormtransformatie kan de bloemsierkunstenaar een eigen stijl ontwikkelen en zo een bijdrage leveren aan de gehele bloemsierkunst. In de avantgarde, wat voorhoede betekent in het Frans, zijn kunstenaars bezig met nieuwe vormgeving. Het is een afzetten tegen het bekende, tegen vastgelegde, vastgeroeste tradities. Het kan zelfs een vorm van anti-kunst zijn, als het zich afzetten tegen de cultuur en maatschappij. Het doel is nieuwe wegen zoeken, het onbekende uitdagen en uitproberen, en proberen tot een synthese te komen. Veranderingen, toevoegingen, weglatingen en opnieuw formeren of groeperen spelen alle een eigen rol in het experiment. Het vermogen om associaties toe te passen is daarom enorm verrijkend en brengt tot nieuwe ideeën. 'Fun' in bloemwerk mag daarom ook een drijfveer zijn.
Zie ook pag. 68 *Avant-garde* en pag. 74 *Memphis.*

Product knowledge includes live and inert materials, which may be suitable for an arrangement. All materials have form, identity, atmosphere, character and personality. These factors cannot be ignored.
Technically, there could also be certain restrictions such as, can it be bent, longevity, water requirements, etc. It is important to note, that material and colours be used in the right proportion, to create unity in the arrangement.

7 Practical arranging/training

Flower arranging can only be learned by doing it frequently and thoughtfully. One must try out all techniques thoroughly, including design and colour combinations, in a variety of styles, as well as free form experimental designs into striking compositions. Always strive for perfection, and bring it to a higher level, time after time.

8 Creativity

The focus should be originality. Creativity has to do with heredity, but also with intelligence, the ability to transform, analyze, synthesize and organizational ability, as well as learning to turn chaos into harmony. It is my firm belief that creativity can be developed. This can be accomplished by reading trade journals, attending floral demonstrations and competitions. Also the study of things that surround us, is helpful, e.g. nature, architecture, fashion and certain T.V. programs. Sketch lots of ideas, brain storm alone or with others, and especially, arranging by trial and error.

9 Sensitivity

Sensitivity and awareness play a large role in our observation and the refined detailing of the composition. Feelings and emotions do play a decisive role in this. The arrangement can therefore achieve an emotional presence and exudes confidence. Fragrance is also a factor, while eroticism could add and extra dimension. Without sensitivity, floral art will never reach its highest goal.

10 Experimentation

To experiment means that we must break with outdated conventions. We must try to find a new line of approach into design, colour usage and the application of materials. Through experimentation and form transformation the floral artist can develop his own style, and thereby contribute to the whole of floral art. In the Avant garde movement, which means forerunner in French, artists have been busy with new developments. It is a reaction against the known and established traditions. It can even take on a form of anti art, as a reaction against culture and society. The goal is, to seek new ways, to challenge the unknown, to try out and synthesize. Changing, adding, subtracting and reforming or grouping; all play their own role in the experiment. To be able to apply associations is very enriching in acquiring new ideas. Fun in flower arranging could be an excellent motivational force.
See also pag. 68 *Avant-garde* and pag. 74 *Memphis.*

Windselbol

Het opvallendste deel van deze schikking is de Oasis-bol die omwikkeld is met als basis poetskatoen en daaroverheen wollen draden en tule. Ook de sierlijke strengen die uit de bol ontspringen zijn zo gemaakt. In de bol zit een steekbuisje met water zodat het groen en de *Craspedia* levenskansen hebben.
Gebruikte materialen: *Gloriosa superba* 'Rothschildiana', *Craspedia globosa, Nepenthes, Aster, Setaria, Eucalyptus,* pauwenveren.

Entwined ball

The most remarkable part of this arrangement is the Oasis ball entwined with shredded cotton as a base, followed by strands of wool and tulle. The graceful strands, which emerge from the ball, are also made of the same material. Inside the ball, a vial of water is placed to keep the greens and *Craspedia* alive.
Materials used are: *Gloriosa superba* 'Rothschildiana', *Craspedia globosa, Nepenthes, Aster, Setaria, Eucalyptus,* peacock feathers.

Inspiratie en spel

Vrije inspiratie en een spel van vormelementen. De metalen schaal, metaalband en blauwe Hydrangea staan in schril contrast met de oranje *Strelitzia*'s.
Gebruikte materialen: aluminium schaal, Oasis, *Laurus nobilis, Hydrangea, Strelitzia reginae, Craspedia globosa,* metaalband.

Inspiration and Play

Spontaneous inspiration and a play of form elements is the basis for this arrangement. The metal bowl and metal bands with the blue *Hydrangea* are in stark contrast with the orange *Strelitzias.*
Materials used are: Aluminum dish, Oasis, *Laurus nobilis, Hydrangea, Strelitzia reginae, Craspedia globosa,* metal band.

Waarmee houden we verder rekening

Het verdient aanbeveling bij het kiezen van materiaal, stijl en vorm, naast de voornoemde elementen, ook rekening te houden met de volgende uitgangspunten of ontwerpfactoren:
- gebruik van decoratieve effecten
- gebruik van accessoires
- gebruik van attributen
- thema's
- modeverschijnselen (trends), stromingen en rages (hypes)
- symboliek en meditati,
- emotie
- licht en belichting

Decoratieve effecten kunnen een speciale sfeer geven aan de schikking, denk hierbij aan het gebruik van accessoires zoals lint of kaarsen. Attributen kunnen een specifieke sfeer of betekenis oproepen en iets uitbeelden bijvoorbeeld met behulp van een hartvorm, een beeltenis of een getal.
Een thema is een bepaald onderwerp waarme je iets wilt doen, het is een punt van behandeling om een bloemstuk naar te maken, een verhalend uitgangspunt. Enkele thema's zijn: milieu, doorbreken, insnoeren, feest, dynamiek, vrede, bevrijding. De vraag is hoe maak je een thema herkenbaar in het bloemstuk. Het gaat om het idee, de onderlinge relatie en schoonheid. Alles moet kloppen in het geheel van de schikking, alleen dan wordt de maximale zeggingskracht bereikt.
Modeverschijnselen, stromingen en rages vormen boeiende verschijnselen en kunnen tijdelijk van invloed zijn op de vormgeving, de kleurkeuze en het materiaalgebruik. Een enkele keer ontwikkelt een rage of trend zich tot een blijvende stijl, meestal zijn ze echter even snel weg als ze gekomen zijn. Het is voor sommigen een vak geworden trends te lanceren; ze alleen maar navolgen is saai.
Symboliek is ontstaan door de eeuwen heen omdat veel dingen, ook bloemen, planten e.d., een betekenis hebben gekregen. Bronnen hiervan liggen in de religie en in gewoonten. Symboliek kan een onderdeel zijn van een schikking of een schikking kan er zelfs door ontstaan en er betekenis aan geven. Het kruis, anker en hart zijn klassieke symbolen van geloof, hoop en liefde (zie pag. 104 en 105).
Meditatief vormgeven vindt bronnen in persoonlijke contemplatie, het zoeken in jezelf naar harmonie, rust, vrede en inzicht. Een schikking kan een meditatieve uitstraling hebben, maar kan ook deel zijn van de meditatie zelf. Hierbij wordt de schikking als onderdeel van de meditatie opgebouwd. Het proces zelf is dan meditatief. Vergeestelijking geeft een bijzondere uitstraling aan bloemwerk. Vanuit de symboliek of cultuur is het interessant verschillende elementen samen te voegen tot een nieuwe uitdaging.
Emotie kan ook een extra dimensie geven aan de schikking. Het heeft een directe relatie met sensitiviteit, het gevoel dus. Emotie is heel specifiek en een belangrijke bron van kracht en uitstraling. Emotie kan het bloemwerk een ongekende extra dimensie geven.
Licht is onmiskenbaar heel belangrijk in het uiteindelijke effect van de schikking. Als het licht niet goed is, een verkeerde kleur heeft of verkeerd is geplaatst, dan zal de schikking niet mooi uitkomen. De totale setting of presentatie van het arrangement bepaalt of de vooropgezette bedoeling wordt bereikt.

What else should we be concerned about?

It is recommended that, when choosing materials, style and form, besides the previously mentioned elements, to take into consideration the following design factors:
- the use of decorative effects
- the use of accessories
- the use of attributes
- themes
- fashion, movements, hype, fads and trends
- symbolism and meditation
- emotion
- light and lighting

Decorative effects can give a specific atmosphere to an arrangement. Think, for example, in terms of the use of accessories such as ribbon and candles. Attributes can also create a specific atmosphere or meaning in portraying something via a heart shaped form, a portrait or a number.
A theme, is a specific subject to represent an idea. It is a point of departure to make an arrangement a storied event. A few themes: Environment, breakthrough, constriction, festivity, dynamism, peace, liberation.
The question is, how does one create a theme which is recognized in an arrangement. It is about the idea, the compatible, interdependent relationship and beauty. Everything should 'click' in the whole of the arrangement; only then the maximum expressiveness is achieved. Fashion, movements, hype, fads and trends form exciting and interesting happenings, and can temporarily influence the design, colour choice and/or the use of materials. Every so often, fads or trends develops into a permanent style, but frequently disappear as quickly as they come. Projecting and forecasting trends has become a profession, but to follow them blindly is boring.
Symbolism found its origin centuries ago, because many things, including flowers and plants, etc. were given special meanings. Customs and religion are the primary sources. Symbolism can be part of an arrangement, or could have come into being by giving it a special meaning. The cross, anchor and heart are classical symbols of faith, hope and love (see pag. 104 en 105).
Sources of meditative design can be found in personal contemplation, to find oneself in harmony, rest, peace and insight. An arrangement can project a meditative quality, but can also be part of the meditation itself. Through this process, the arrangement becomes intrinsically woven with the meditation itself. Spirituality does emanate a special quality to a floral design. It is most interesting to combine various elements from culture or symbolism to create new challenges. Emotion can also provide an extra dimension to a design. It has a direct relationship with sensitivity, in other words, feeling.
Emotion is, therefore, very specific and an important source of strength which radiates and provides an extra dimension to an arrangement. The quality of light is undoubtedly very important to the total effect of an arrangement. When light is insufficient, has the wrong colour or is incorrectly placed, the arrangement will not show to advantage. The total setting and presentation of the arrangement determines whether or not we have achieved our intended goal.

Groen blijft boeien

Groen blijft een kleur die boeit. Als meest overdadige en neutrale natuurlijke kleur is het altijd een uitdaging om hiermee een opvallende, rijke of rustieke schikking te vervaardigen. Als basis is een gestapelde vorm van Oasis gemaakt, versterkt met kippengaas.
Gebruikte materialen: houten container, Oasis, *Taxus baccata* 'Fastigiata', mos, *Hedera, Cryptomeria japonica, Juglans nigra, Chamaecyparis pisifera* 'Filifera', *Spiraea japonica, Anthurium* 'Midori', *Anthurium clarinervium, Anthurium*-blad.

Green Fascination

Green is a colour that fascinates. Being the most profuse, natural and neutral colour in the world, it always is a challenge to use the various greens in eye catching, opulent or rustic arrangements. Stacked blocks of Oasis form the base, supported with chicken wire.
Materials used are: Wooden container, Oasis, *Taxus baccata* 'Fastigiata', moss, *Hedera, Cryptomeria japonica, Juglans nigra, Chamaecyparis pisifera* 'Filifera', *Spiraea japonica, Anthurium* 'Midori', *Anthurium clarinervium, Anthurium foliage.*

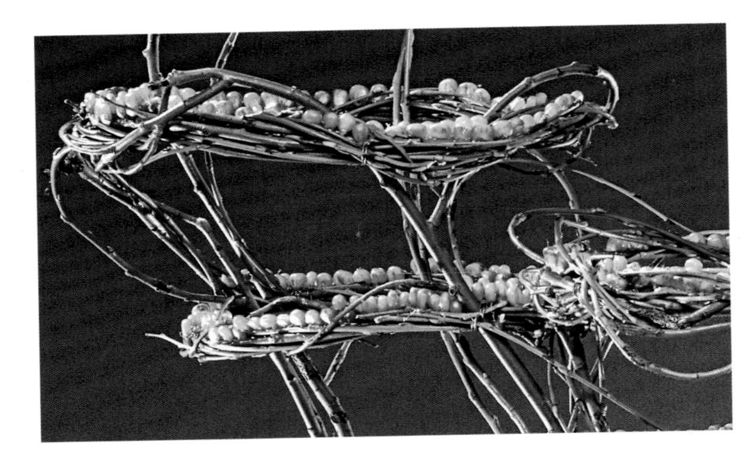

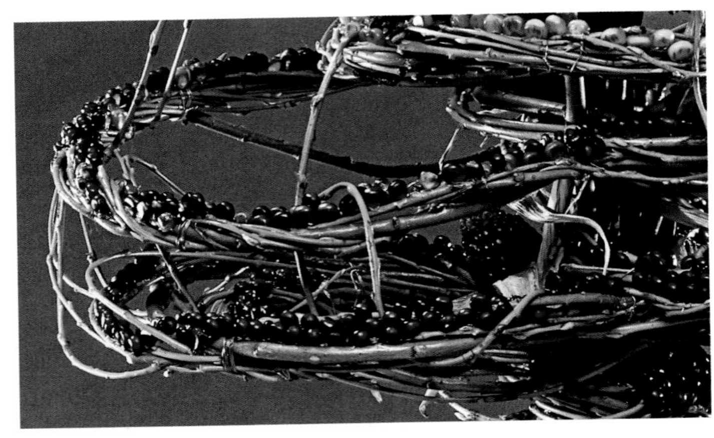

Monnikenwerk

Een mooie glazen vaas als basis voor een ringvormige constructie van wilgentakken en honderden gelijmde zaden van mais. Een eenvoudige vormgeving, anders en toch met een heel eigen karakter, maar wel een monnikenwerk.
Gebruikte materialen: Lebeaux-glas, *Salix* 'Tristis', *Zea mays*, koperdraad.

Tedious Work

A beautiful glass vase forms the base for this ring formed construction of willow branches with hundreds of glued on kernels of corn. A simple design, yet different with unique characteristics; a tedious job indeed.
Materials used are: Lebeaux glass, *Salix alba* 'Tristis', *Zea mays*, copper wire.

Alternatieven

Al zoekend naar andere manieren van schikken ontstond dit grappige arrangement met een zweem naar 'vissen op het droge'.
Gebruikte materialen: Mitsumata-takken, *Asparagus umbellatus, Setaria, Physalis alkekengi* var. *franchetii,* veren, bollen en rettich.

Alternatives

When searching for different ways to design, this amusing arrangement developed and suggested hints of fishing on dry land.
Materials used are: *Mitsumata branches, Asparagus umbellatus, Setaria, Physalis alkekengi* var. *franchetii,* feathers, bulbs and rettich.

Veren op je hoed

Een bamboevaas die gewoonlijk voor een Ikebana-schikking wordt gebruikt, is op een geheel eigen wijze onderdeel geworden van een decoratieve compositie. De plumeau, normaal gebruikt voor afnemen van stof, speelt hier een overheersende rol als pluim op de hoed.
Gebruikte materialen: *Helianthus annuus, Solidago, Asparagus umbellatus, Chamaecyparis,* limoenen, koperdraad

Feathers in Your Cap

A bamboo vase, generally used for an Ikebana arrangement, has become part of a very unique decorative composition. The feather duster, normally used for domestic tasks plays a dominant role, as "a feather in your cap".
Materials used are: *Helianthus annuus, Solidago, Asparagus umbellatus, Chamaecyparis,* limes, copper wire.

Het ontwerpen van bloemwerk

Waar begin je eigenlijk als je een schikking wilt ontwerpen? Is er een soort ABC om tot mooi bloemwerk te komen? Het antwoord op deze vragen is veelzijdig en kan hier onmogelijk diepgaand worden benaderd. Het komt er in eerste instantie natuurlijk op neer om zo breed en diep mogelijk de bloemsierkunst te bestuderen en praktisch te beoefenen. Het gaat dan niet alleen om stijlen, technieken en materialen, maar ook om de bestudering van een breder kader van kunst en cultuur. Ook de bloemsierkunst heeft wortels, een verleden. Veel inzet is nodig om de belangrijkste geheimen te leren doorgronden. Dat gaat niet zomaar even, het is een levenslange boeiende weg die wellicht nooit alle geheimen zal prijsgeven. De materie is daar te omvangrijk voor en uit het verleden is te weinig overgebleven omdat het materiaal nu eenmaal vergankelijk is. Inzicht in vormleer en kleur is essentieel om tot verantwoorde composities te komen. Het kunnen tekenen is een belangrijk element bij het maken van een ontwerp. Men dient zich hierin dan ook te bekwamen, wil het ontwerp duidelijk gestalte krijgen (zie pag. 18, 19, 21, 24, 25, 51, 68). Het is belangrijk dat ideeën gevisualiseerd kunnen worden. Natuurlijk kunnen we ook gewoon beginnen en uit spontane creatieve impulsen tot topstukken komen. Dit is op zichzelf een prima methode. Het aanleggen van een eigen ideeënboek daarentegen zal zeker ook bijdragen aan een versneld inzicht in ontwerpsuggesties en methodieken. Leg daartoe ieder spontaan idee vast in een schets en bewaar deze in een map. Werk de ideetjes eens verder uit als het van pas komt en bezie elke suggestie van verschillende kanten. Op den duur zal een ongekend ideeënboek ontstaan. Maak overal schetsjes van, gewoon in potlood of kleurpotlood. Dit levert een verrassend duidelijk beeld en bevordert de ideerealisatie. Zelf werk ik volgens beide voornoemde methoden: spontaan zonder voorbereiding en geordend, uitgaande van een idee of thema. De schetsjes maken duidelijk hoe het eindresultaat er ongeveer uit zal kunnen zien. Natuurlijk zal tijdens het proces van het schikken zelf de uiteindelijke vorm tot stand komen. Een aantal wat meer uitgebreide schetsvoorbeelden zijn in dit boek verwerkt.

The Design of Floral Art

Where does one start? Is there a sort of ABC or shortcut to make a nice flower arrangement? The answer is varied and it is not possible to have a detailed discourse at this time, but hopefully, in a future book. To start with, one must study the art of flower arranging broadly and deeply, and practise often. We are not only talking about styles, techniques and materials, but also about the broader aspects of art and culture. Floral art has roots and a long past. Much effort is required to uncover the important secrets of floral art. This cannot happen overnight; it takes a lifetime of fascinating study and even then, we will not have uncovered all the secrets of the art. The subject is too broad, and too little has remained from the past, due to the perishable nature of the material.

Insight in form development and colour is essential in order to arrive at a sound and responsible composition. Also, the ability to draw is an important asset. One should try to master the techniques in order for the design to develop a 'Gestalt' and to visualize the ideas (see pag. 18, 19, 21, 24, 25, 51, 68). Of course, we can just start and use our spontaneous and creative impulses, which often can lead to an excellent arrangement. This, on its own, is a very good method. The start of one's own idea book will help to accelerate insight into design suggestions and methodology. Record each spontaneous idea in a sketch and store them in a folder. Expand on the ideas when necessary, and look at each suggestion from a different viewpoint. The information thus gathered will grow into an unprecedented idea book. Make sketches of everything; just a pencil or colour pencil will deliver a surprisingly clear picture and stimulates the realization of ideas. I myself, sketch along the lines just described, spontaneous without preparation, s tarting with an idea or theme. The sketches will show, what the end result will approximately look like.

Naturally, it is only during the actual process of design that the final form will be achieved. A number of more extensive sketches are found throughout the book.

Geometrie *Geometry*

Spiraleren *Spiraling*

Klassiek sfeerbeeld

Atmosphere of the Classics

Hollands stilleven

Een historische eenzijdige schikking gemaakt naar oud-Hollandse bloemenschilderijen. De vanitas-gedachte van vergankelijkheid speelt in die composities altijd een grote rol. De stijl is decoratief en eenzijdig met een driehoek als basisvorm, een schikking met een 'face'.
Gebruikte materialen: metalen vaas, *Gypsophila, Paeonia, Rosa, Papaver, Rubus, Spiraea, Amaranthus, Buddleja, Lathyrus, Astilbe, Lupinus, Viburnum, Calathea lancifolia, Petunia,* rode kool, druiven, *Amelanchier.*

Holland Still Life

An historical one sided arrangement is often fashioned after the old Dutch still life paintings. The Vanitas' thoughts, suggesting the transience of life, play a large role in these compositions. The style is decorative and one sided, the triangle is used as the basic form: a 'facing' arrangement.
Materials used are: Metal vase, *Gypsophila, Paeonia, Rosa, Papaver, Rubus, Spiraea, Amaranthus, Buddleja, Lathyrus, Astilbe, Lupinus, Viburnum, Calathea lancifolia, Petunia,* red cabbage, grapes, *Amelanchier.*

Sfeer van lint

In deze klassieke alzijdig ronde schikking is een combinatie gemaakt van gele tulpen, witte seringen, samen met toefjes tule, folie, bastbandlint en koord. De vele toefjes tule en folie tussen de bloemen geven het geheel een verrassende aanblik en tonen een rijk gevulde decoratieve schikking in voorjaarssfeer.
Gebruikte materialen: metalen mand, Oasis, *Tulipa* 'Monte Carlo', *Syringa, Andromeda,* Vaban-lint en plastic.

The Romance of Ribbon

This classic all round arrangement features a combination of yellow tulips, white lilacs, together with tufts of tulle, foil, ribbon and cording. The many tufts of tulle and foil between the flowers give the whole a charming effect and shows an opulent, decorative arrangement in an atmosphere of spring.
Materials used are: Metal basket, Oasis, *Tulipa* 'Monte Carlo', *Syringa, Andromeda* and Vaban-ribbon.

Barok

Creatieve eigentijdse barok met een warme sfeer van de rijkdom van de herfst. De compositie is gebaseerd op massa met daaruit komende lijnen om een losse opzet te creëren. Vorm en contravorm spelen samen in de ruimtelijkheid. Gebruikte materialen: metalen vaas, sphagnum, vellenmos, *Sambucus nigra, Hedera erecta, Amaranthus caudatus, Amaranthus hypochondriacus, Papaver, Hydrangea, Rubus, Hedera, Celosia argentea* Cristata Groep, *Helianthus annuus.*

Baroque

A creative, contemporary baroque arrangement, contains a warm atmosphere emulating the richness of autumn. The composition is based on a mass design, from which the rising lines create a more open feeling. Form and contra form seem at play in the spaciousness of the composition. Materials used are: Metal vase, sphagnum, sheet moss, *Sambucus nigra, Hedera erecta, Amaranthus caudatus, Amaranthus hypochondriacus, Papaver, Hydrangea, Rubus, Hedera, Celosia argentea* Cristata Group, *Helianthus annuus.*

HET ANALYSEREN VAN BLOEMWERK

Het is zinvol bewust te leren kijken naar de kwaliteit van het door onszelf of anderen gemaakte bloemwerk. Wat zie ik, wat is het, hoe is het gemaakt, is het mooi of niet? Vragen die ons leren het eigen bloemwerk kritisch te beoordelen en ook positief kritisch naar het bloemwerk van anderen leren kijken. Daardoor leren we weer om nog beter bloemwerk te maken. Het is een beeldanalyse. Wat bepaalt het eindresultaat van ons eigen bloemwerk? Hoe worden in de schikking verschillende elementen een eenheid? Het gaat dus om het waarnemen, kijken, wat zie ik eigenlijk? De antwoorden hierop mag ieder zelf bedenken. (En als je nog geen antwoorden weet, probeer er dan achter te komen wat deze zouden kunnen zijn.)
Hieronder volgt een lijstje met vragen die we onzelf kunnen stellen opdat we objectiever leren analyseren en oordelen over het bloemwerk van onszelf en van anderen. Deze lijstjes kunnen uiteraard nog verder worden uitgebreid of aangepast.

Inhoud: *
- Wat stelt het voor, wat is de betekenis?
- Wat is de uitstraling?
- Is er een thema gehanteerd?
- Is er symboliek gebruikt?

Functie: *
- Waarvoor dient het?
- Waarom is het gemaakt?

Vormgeving: *
- Welke design-elementen zijn gebruikt?**
- Waar is het van gemaakt?
- Wat is de maat, de omvang?
- Hoe is de uiterlijke vorm?
- Hoe is de structuuropbouw, de lijnvoering?
- Wat zijn de hoofdlijnen, de assen?
- Hoe is met vlakvulling en texturen gewerkt?
- Hoe loopt de kijkrichting en uitdijing?
- Versterkt de vorm de kleur?
- Hoe is gebruik gemaakt van massa, lijn en ruimte?
- Hoe is de hiërarchische opbouw?

Kleur:
- Welke kleurencirkel is gehanteerd?
- Wat is de kleurcombinatie?
- Is het kleurbeeld warm of koud?
- Is er een dominante kleur?
- Versterkt de kleur de vorm of juist niet?
- Past de kleur in de sfeer?
- Heeft het kleurgebruik emotionele waarde?

Materiaal:
- Is het geschikt voor het ontwerp?
- Is het juist gebruikt, past het in het thema?
- Zijn er alternatieven?

* *Inhoud, functie en vorm werden reeds benoemd door Van Gelder en Van Praag 1957 en Locher 1973.*

** *Design-elementen worden ook wel beeld- of vormelementen genoemd.*

ANALYZING FLORAL ART

Let us consciously learn to look at the quality of the designs created by ourselves and others. What do I see, how is it made, is it beautiful or mediocre? Questions, which teach us to look at our own floral designs critically, but also to look with positive criticism at the flower arrangements of others. This teaches us to make even better flower arrangements. It is a visual analysis. What determines the end result of our own designs? How do we combine various elements to create unity? It is about observation, seeing, what do I really see? Each person may answer that for themselves. If you do not know the answer, try to find out.
We will ask ourselves the following questions, so that we can learn to analyze more objectively and judge the floral arrangements of others and ourselves. You can expand or adapt this list even further.

- *Content:* *
- What is it, what does it mean?
- What are the characteristics, personality?
- How has the theme been interpreted?
- Does it convey a symbolic meaning?

Function: *
- What purpose does it serve?
- Why is it made?

Design: *
- Which elements of design are used?**
- From what is it made?
- What are the dimensions?
- What is the outward appearance?
- How has the structural form and the line been handled?
- What are the primary lines, the axis?
- How are surfaces filled and textures used?
- How are directional movements and expansions handled?
- Does the form strengthen the colour?
- How is the mass line and space used?
- How is the hierarchy built into the design?

Colour:
- What colour system is used?
- What is the colour combination?
- Is it a warm or cold colour scheme?
- Has a dominant colour been used?
- Does the colour enhance the form? Or detract?
- Is the colour appropriate for the chosen atmosphere?
- Did the use of colour have emotional value?

Material:
- Is it suitable for the design?
- Has it been used correctly and does it mesh with the theme?
- Are there alternatives?

* *Content, function and form were named by Van Gelder and Van Praag, 1957 and Locher, 1973.*

** *Design elements are sometimes called visual or form elements.*

Techniek:
- Welke techniek is toegepast?
- Is de techniek goed gekozen?
- Is er perfect gewerkt?
- Is de houdbaarheid afgestemd op het doel?

Symboliek:
- Welke symboliek is toegepast?
- Zijn de symbolen duidelijk herkenbaar?

Ethiek:
- Is er verantwoord omgegaan met het materiaal?
- Zijn er geen beschermde materialen verwerkt?
- Is er ecologisch verantwoord gekozen?

Thema:
- Is er een thema gehanteerd?
- Is het thema herkenbaar?

Attributen en accessoires:
- Zijn er attributen of accessoires verwerkt?
- Zijn deze juist toegepast, komen ze tot hun recht?
- Versterken zij de compositie?

Regels:
- Zijn de stijlregels goed toegepast?

Algemeen:
- Wie heeft het bloemstuk gemaakt?

Het voorgaande kunnen we samenvatten in drie algemene gebieden of groepen*. Het gaat om nog meer inzicht, om te leren begrijpen wat we eigenlijk aan het doen zijn met bloemsierkunst. Sommige begrippen hebben enige overlap met elkaar.

1 **Waarde:**
- Waarom schikken we bloemen?
- Wat is de visie, de stellingname?
- Welke keuzen zijn gemaakt?
- Is ethiek een leidraad?
- Is het milieu medebepalend?

2 **Communicatief:**
- Hoe schikken we om communicatie te bereiken?
- Waarom is er zo geschikt?
- Wat zijn de communicatieve kwaliteiten van de schikking?
- Wat is de boodschap?
- Wat straalt de schikking uit?

3 **Functioneel:**
- Waarmee schikken we, met welk materiaal?
- In welke techniek schikken we?
- In welke volgorde schikken we?
- Waarom schikken we specifiek in de gekozen stijl of vorm?
- Wat is de functie, het doel van de schikking?

Technique:
- What techniques have been used?
- Is the technique well chosen?
- Is perfection evident?
- Is the longevity appropriate for the design?

Symbolism:
- Which symbolic gesture is used?
- Are the symbols clearly recognizable?

Ethics:
- Has the material been used responsibly?
- Have there not been any protected materials used?
- Have correct ecological choices been adhered to?

Theme:
- Has a theme been used?
- Has the theme been recognized?

Attributes and accessories:
- Are attributes and accessories used?
- Have they been applied correctly and shown to advantage?
- Do they enhance the composition?

Rules:
- Have the style rules been adhered to?

General:
- Who made the floral arrangement?

The previous dissertation can be condensed into three general areas or groups*. It means, to get more insight, to learn to understand what we really do and what floral art is all about. Some contents tend to overlap.

1 **Value terrain**:
- Why do we arrange flowers?
- What is our vision?
- Which choices do we make?
- Are ethics a guide?
- Is the environment a contributing factor?

2 **Communicative**:
- How do we arrange to communicate effectively?
- Why did we arrange in such a way?
- What are the communicative qualities of the arrangement?
- What is the message?
- Does the arrangement have presence?

3 **Functional**:
- Which materials do we use?
- What techniques do we use?
- In what sequence do we arrange?
- Why do we arrange in a specific chosen style or form;
- What is the function and goal of the arrangement?

**Deze gebieden zijn beschreven door Hodzelmans/Verbeek 1976. Ze zijn hier vrij vertaald naar de bloemsierkunst.*

**These subjects were written about by Hodzelmans/Verbeek, 1976. They have been freely translated towards floral art.*

Milieuvriendelijk

Een ritmische compositie in een alternatieve techniek. Oud bloemengaas dient als steunmiddel en is tevens een decoratief onderdeel van deze contrastrijke en feestelijke schikking. De bloemen zijn min of meer parallel, los tussen het gaas gezet.
Gebruikte materialen: ouden houten bak bedekt met polyester, kippengaas, *Aconitum napellus, Rosa* 'Frisco', *Rosa* 'Mercedes', *Alstroemeria, Craspedia globosa, Iris* 'Prof. Blaauw', *Hypericum, Anemone, Veronica, Asclepias tuberosa.*

Environmentally Friendly

This arrangement shows a rhythmic composition in an alternative technique. Old wire netting serves as a support and is, at the same time, a decorative part of this richly contrasting and festive arrangement. The flowers are casually placed through the wire netting.
Materials used are: Wooden box, clad in polyester, chicken wire, *Aconitum napellus, Rosa* 'Frisco', *Rosa* 'Mercedes', *Alstroemeria, Craspedia globosa, Iris* 'Prof. Blaauw', *Hypericum, Anemone, Veronica, Asclepias tuberosa.*

NATUURLIJK TRUE TO NATURE

Waterlandschap

Vegetatie in een natuurlijk waterlandschap spreekt mensen altijd aan, water als symbool voor leven, mooi om naar te kijken, boeiend voor inspiratie tot vegetatieve composities.
Gebruikte materialen: metalen bak, loodprikkers,
Typha, Iris pseudacorus, Nuphar lutea, Nymphaea.

Water Landscape

Vegetation in a natural water landscape always appeals to people. Water is the symbol of life, beautiful to look at, and provides inspiration to create vegetative compositions.
Materials used are: Metal tray, lead pin holders,
Typha, Iris pseudacorus, Nuphar lutea, Nymphaea.

Natuurlijke tuin

Een vegetatieve natuurlijke compositie, een bosachtig landschap met varens en coniferen. In de schaal is steekschuim gelegd en zijn houtstronken geplaatst. Deze fungeren als basis voor de schikking en lijken rotsen te zijn. Door de wijze waarop de materialen zijn geplaatst is een open ruimte in de schikking gehouden welke dieptewerking geeft en daardoor ruimte.
Gebruikte materialen: metalen schaal, conifeer, varens,
Viola, Asarum europaeum, zand, stenen, mos en hout.

The Natural Garden

This vegetative natural composition shows a wooded landscape with ferns and conifers. Floral foam is placed in a low dish, on which pieces of driftwood have been placed. These form the basis of the composition and seem to appear like rocks. Due to the unique placement of the materials, open spaces have been created, providing depth and space to the composition.
Materials used are: Metal dish, conifers, ferns,
Viola, Asarum europaeum, sand, rocks, moss and driftwood.

Futuristische berg

Een landschap met een futuristisch effect, een doorgevoerde textuurschikking met verrassende hoekjes, rustige vlakken, texturen en decoratieve elementen. De verschillende zijden van de compositie geven een eigen karakter weer, benadrukt door de koperplaten.

Gebruikte materialen: hout, Oasis, mos, bast, *Juniperus*, *Chamaecyparis pisifera* 'Filifera', *Cedrus libani* subsp. *atlantica* Glauca Groep, koperplaat, kegels.

Futuristic Mountain

A landscape with a futuristic effect shows a well applied, structured design with surprising little nooks, restful surfaces, textures and decorative elements. The different sides of the composition display their own characteristics, emphasized by the copper sheets.
Materials used are: Wood, Oasis, moss, bark, *Juniperus*, *Chamaecyparis pisifera* 'Filifera', *Cedrus libani* subsp. *atlantica* Glauca Group, copper sheets and cones.

Geheimzinnigheid

Een tropische sfeer en geheimzinnigheid is wat dit arrangement in vegetatieve stijl uitstraalt. De exotische *Anthurium* laat in deze omgeving al haar schoonheid zien. Gebruikte materialen: metalen schaal, Oasis, houtstronk, *Pinus mugo* var. *mugo, Skimmia, Anthurium* 'Titicaca', *Hedera, Sempervivum,* mos, zand, stenen.

Mysteriousness

A tropical mysterious atmosphere is created in this vegetatively styled arrangement. The exotic *Anthurium* displays all her beauty in this tropical environment. Materials used are: Metal dish, Oasis, wood stumps, *Pinus mugo* var. *mugo, Skimmia, Anthurium* 'Titicaca', *Hedera, Sempervivum,* moss, sand, rocks.

Streven naar perfectie

Om tot een hoog niveau van perfectie te komen is het belangrijk ervoor te zorgen dat er een goede degelijke basis is waarop altijd kan worden teruggevallen. Deze basis vinden we in een degelijke opleiding en serieuze studie van de bloemsierkunst. Een goede basis geeft ook de zekerheid om gemakkelijker tegenslagen te kunnen overwinnen. Hoog ontwikkelde specifieke vakkennis gekoppeld aan een breed inzicht in algemene kennis en aan kunstzinnige ontwikkeling, vormen de essentie om tot perfectie te kunnen komen. Om tot perfectie te geraken moeten we niet denken aan de korte termijn, maar altijd aan de lange termijn. Het is natuurlijk wel van belang om op korte termijn een goed gevoel te hebben over het reeds bereikte bloemschikresultaat. Helaas blijven velen steken in dat niveau en ontbreekt de impuls om verder te gaan in de ontwikkeling. Te vaak wordt er alleen maar gewerkt om een diploma te halen. Zorg ervoor dat de doelen die je aan jezelf stelt haalbaar zijn en verleg telkens de doelen, leg de lat steeds wat hoger. Je zult zien dat dit veel innerlijke voldoening zal geven. Dit kan natuurlijk niet zonder opoffering. Er zal inzet nodig zijn om de gewenste kennis en ervaring op te doen. Laat daarom de weg naar perfectie je leidraad zijn. Het is in opleidingsverband natuurlijk onzin dat iedereen opnieuw het wiel gaat uitvinden. De leerweg moet duidelijk, eenduidig en goed georganiseerd zijn. De leerdoelen moeten niet voor meerdere uitleg vatbaar zijn. Bewezen technieken, vormgeving en stijlbegrippen kunnen we zien als vaststaande zaken. Het is van belang deze grondig te bestuderen en te oefenen. Daarnaast is het belangrijk te komen tot een eigen, persoonlijke ontwikkeling in creativiteit en initiatief. Je zult zien dat dit vanzelf tot eenheid en harmonie zal leiden. Door moeilijke, maar haalbare en interessante doelen te stellen is succes binnen handbereik en zal de motivatie toenemen. Het is dus belangrijk om de goede keuzes te maken. Wat je doet, doet je natuurlijk vooral voor jezelf. Je neemt daarom de verantwoordelijkheid voor je eigen keuzes. Probeer daarbij plezier te beleven aan je eigen ontwikkeling en het bereikte bloemschikresultaat. Op den duur is je ontwikkeling zover dat je niet alleen in staat bent om gekende stijlen in perfectie uit te voeren, maar ook je eigen creativiteit vorm te geven in inspirerend en origineel bloemwerk.

Striving for Perfection

To reach a high level of perfection, it is important to ascertain that we have a sound foundation, to which we can turn to time and again. A sound basis is formed by getting a good education and some serious study about floral art.
A good base provides us with the security to cope with eventual disappointments. Highly developed professional skills, together with a broad insight in general knowledge and a soundly developed sense of art are of the essence to reach perfection. To reach perfection we should not think in the short term, but always over the long term. It is, of course, advisable in the short term to have a good feeling about the results of one's flower arranging skills.
Unfortunately, too many people are stuck at that level, and do not have the inclination or motivation to develop further. Too often, people only work and take courses to get a diploma. Make sure, that the goals you set for yourself are attainable and be sure to raise the bar continually. You will find that it will give you a great deal of inner satisfaction. This, of course, can not be done without some sacrifice. It takes determination to get the right kind of knowledge and experience. Therefore, let the road to perfection be your guide. Within the training context it is, of course, not necessary to re-invent the wheel. The road to learning should be clear, focused and well organized. The training objectives have to remain specific. Proven techniques, design and style concepts are generally fixed subjects. It is important to study these, as well as practise. After that, it is important to develop our own creativity and initiative. You will find, that this will lead to unity and harmony.
By setting difficult but attainable and interesting goals, success will almost be assured, while motivation increases. It is important to make the right choices. What you do, is in the first instance, for yourself; take responsibility for your own choices. It will give you great pleasure to work on your own personal growth and development, and enjoy the result of your flower arrangements. In time, your development will be far enough advanced, to not only being able to execute all the known styles perfectly, but also to give form to your own creativity in inspired and original floral designs.

Garden

Landschapsstijl als 'garden' in een decoratief-vegetatieve schikwijze, waarbij het reliëf en de texturen goed tot hun recht komen. Het beeld is vol contrasten, textuurverschillen en kleurnuances. Hierdoor ontstaat een grote variatie in aanblik.
Gebruikte materialen: metalen schaal, Oasis, *Taxus baccata* 'Fastigiata', *Thuja occidentalis, Hedera, Thymus vulgaris, Celosia plumosa, Echinacea purpurea, Cryptanthus bromelioides* 'Tricolor', *Potentilla fruticosa, Craspedia globosa, Malva, Ribes sanguineum*, mos, koperdraad, leisteen.

The Garden

Landscape style as a 'garden' is executed in a decorative, vegetative arranging method, whereby the relief and textures can be fully appreciated. The total image is full of contrasts, textural differences and colour nuances, creating a tremendous variety in viewing pleasure.
Materials used are: Metal dish, Oasis, *Taxus baccata* 'Fastigiata', *Thuja occidentalis, Hedera, Thymus vulgaris, Celosia plumosa, Echinacea purpurea, Cryptanthus bromelioides* 'Tricolor', *Potentilla fruticosa, Craspedia globosa, Malva, Ribes sanguineum*, moss, copper wire, slate.

AVANT-GARDE

Avant-garde is de voorhoede van kunstenaars die experimenteren om tot nieuwe ideeën te komen en tradities te doorbreken. Hierdoor kunnen op sociaal, cultureel en kunstzinnig gebied nieuwe stromingen ontstaan. Avant-garde is op zichzelf geen stijl. Het kan gaan om vormen van protest, waardoor zelfs antikunst kan ontstaan. Op zichzelf kan dit weer leiden tot vernieuwing. Wat ruimer bezien kunnen we stellen dat de avant-garde is ontstaan toen kunstenaars absolute vrijheid begonnen te eisen. De kunstenaar bepaalde voortaan zelf wel tot waar hij kon gaan. In de bloemsierkunst is dit een eis om van vele vastgeroeste gewoonten los te komen. Avant-garde helpt mee grenzen te verleggen en een nieuwe horizon te verkennen.

AVANT GARDE

The Avant Garde movement is the forerunner of artists, who experiment in order to search for new ideas and break with traditions. Through this, social, cultural and artistic new movements can emerge. Avant Garde is not a style. It can, sometimes, be a form of protest, which can even turn against art. On its own, it is possible to lead to renewal. In broader terms, we can see that the Avant Garde movement started when artists began to demand absolute freedom to create. The artist is now able to determine his own destiny. In flower art, it is almost a requirement to rid ourselves of outmoded customs and traditions. Avant Garde helps us to extend our boundaries and explore new horizons.

Stress

Je kop loopt om — stress, druk, druk, druk beheerst onze samenleving — uitgebeeld in de rokende rode kop, gevangen in een eigen ruimte. Moeten we niet nodig op zoek naar rust en harmonie in de natuur! Zoekend naar de creatieve uitdaging in plantaardig materiaal, vorm en kleur.
Gebruikte materialen: Mobach-aardewerk, metaal, gips, Oasis, mos, *Hedera, Prunus laurocerasus, Rosa* 'Grisby', metaaldraad, houten ballen.

Stress

Your head hurts — stress — busy, busyness dominates our society. This arrangement wants to capture the mood by showing a smoking red face, caught in its own space. We need to get back to nature; to seek rest and harmony, as well as look for creative challenges in plant materials, form and colour.
Materials used are: Mobach pottery, metal, gypsum, Oasis, moss, *Hedera, Prunus laurocerasus, Rosa* 'Grisby', metal wire, wooden balls.

Communicatie
Communication

Etagevorm

De opbouw van dit arrangement is een lagenstructuur als een etagère. De sterk decoratieve vormgeving en het grote contrast tussen de materialen zijn vormbepalend.
Gebruikte materialen: glazen vaas, plastic, *Galax urceolata,* touw, veren en *Asparagus setaceus.*

Layered Forms

This arrangement is built up in layers like an etagere. The strong decorative design and the large contrast between the materials determine the resulting form.
Materials used are: Glass vase, *Galax urceolata,* rope, feathers and *Asparagus setaceus.*

United colours and forms

Een avant-gardistische benadering leidt tot een opvallend anders arrangement. De afzonderlijke delen, contrasten in textuur en kleur spelen een rol in het geheel van de compositie. Decoratieve eenvoud en perfecte plaatsing zijn mede vormbepalend.
Gebruikte materialen: aardewerk vaas, bont, *Asclepias physocarpa*, gekleurde rubber vloermatjes, *Setaria*, exotische krulbloemen en een wollige plumeau.

United Colours and Forms

This avant garde approach led to a striking and unique arrangement. The separate parts, contrasts in texture and colour play an important role in the whole of the composition. Decorative simplicity and perfect positioning determine the final form.
Materials used are: Pottery vase, fur, *Asclepias physocarpa*, coloured rubber floor mats, *Setaria*, exotic fiddle head flowers and a woolly duster.

Piercing

Een vormgeving waarbij het doorboren het meest opvallende detail is. Piercing door stokjes door de hals van de kalebas te steken mag zeker wel als een avant-gardistische uiting worden gezien, hoewel dit verschijnsel al eeuwen oud is.
De compositie is opgebouwd uit sterk contrasterende elementen en kleuren.
Gebruikte materialen: glazen vaas, Oasis, roze plastic, *Asparagus umbellatus*, kalebas, bont, *Celastrus orbiculatus*, veren.

Piercing

This is a design in which the drilled holes are the most conspicuous detail. Piercing by putting little sticks through the neck of the gourd could certainly be called avant garde, even though this practice is centuries old.
The composition is built up from strong contrasting elements and colours.
Materials used are: glass vase, Oasis, pink plastic sheets, *Asparagus umbellatus*, gourds, fur, *Celastrus orbiculatus*, feathers.

Geheimzinnige bollen

Experimenteren is leuk om te doen en het leidt soms tot verrassingen. In deze compositie is gekozen voor decoratieve halve bolvormen en inspiratie van insecten en buitenaardse wezens, een beetje high tec.
Gebruikte materialen: piepschuim bollen, *Corylus avellana* 'Contorta', mos, stermos, *Tillandsia usneoides*, metalen bollen, plastic.

Mysterious Spheres

Experimentation is fun to do and can lead to interesting discoveries. This composition is created from decorative half ball forms, which includes inspiration from insects and other extra terrestrial beings, a little high tech.
Materials used are: Styrofoam balls, *Corylus avellana* 'Contorta', assorted mosses, *Tillandsia usneoides*, metal balls, plastic sheets.

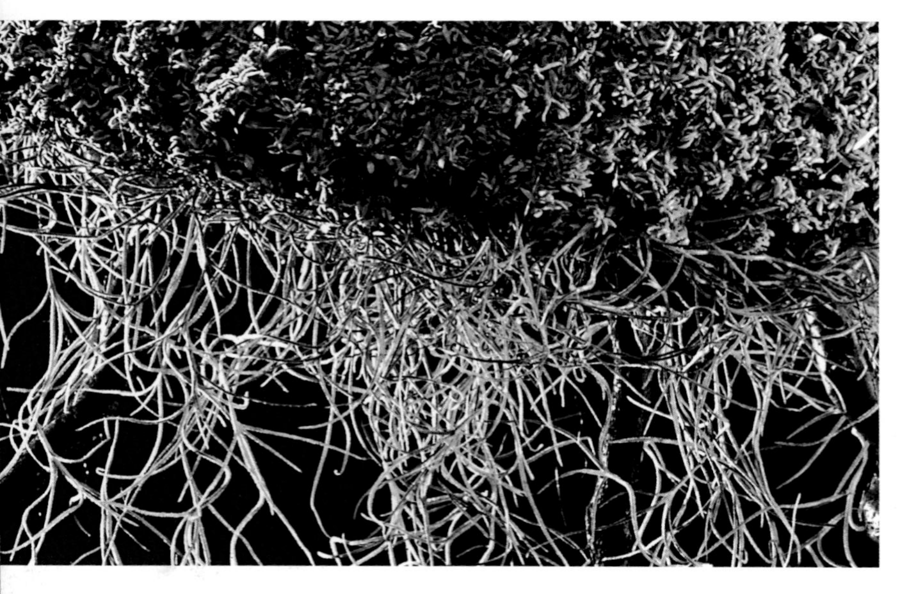

MEMPHIS

De Internationale Stijl was de gangbare methode van architectuur en vormgeving geworden na de Tweede Wereldoorlog. Het was een rationele methodiek met als basis en grote voorbeeld het kubisme. Functionalisme stond centraal. Hierdoor ontstond een vlakke eentonigheid in architectuur en vormgeving. Het functionele modernisme was sober, had een duidelijke lijnvoering, was ingetogen en had weinig versiering of decoratie. Door de soberheid, de vaak neutrale tinten met soms een enkele primaire kleur, was het ontwerp vaak saai en weinig uitdagend. Alles ging op elkaar lijken en getuigt nu nog van een vaak zinloze lelijkheid. Wat vergeten werd was het mooie, het spannende, het verrassende, het uitdagende, de romantiek, de erotiek en vitaliteit
Daar kwam met een schok verandering in toen in 1981 in Milaan de avant-gardistische design-groep Memphis werd opgericht. De naam komt van het lied van Bob Dylan: "Stuck Outside of Mobile with the Memphis Blues Again". Er ligt een link naar de oude Egyptische hoofdstad Memphis en naar de geboorteplaats van Elvis Presley. Memphis pretendeerde versmelting van het eigentijdse absurde met het klassieke en het exotische. Aan de basis stonden Ettore Sottsass, Mattheo Thun, Marco Zanini en Aldo Cibic. In Memphis vinden we kenmerken van eerdere kunstperioden en designstijlen, zoals het kubisme, het pointillisme, art deco, het futurisme, pop-art, het Abstracte en het dadaïsme. Memphis appelleerde sterk aan de psyche, het geestelijke verlangen van elk individu. Bonte kleuren, vreemde grillige vormgeving en verrassende materiaalcombinaties werden kenmerk van Memphis-ontwerpen. Het contrast was wel heel groot met de toen gangbare saaie Internationale Stijl. In Memphis kon elk product een eigen karakter krijgen, werd de complexheid groter en kon een ontwerp weer een eigen boodschap en humor gaan uitstralen.
In de dagelijkse bloemsierkunst is Memphis nooit doorgedrongen, een gemiste kans op inspirerende vernieuwing.

MEMPHIS

The international style became the accepted style of architecture and design after the second world war. A rational methodology used the great examples of cubism as its base. Functionalism was the central influence in design. This gave rise to bland surfaces and monotony in architecture and design.
The functional modernism was austere, had strong lines, was relatively modest and had little or no decoration. Due to the austerity of the buildings, the often neutral tints with sometimes a primary colour showing were often dull and without challenge. Everything looked alike, and we still see the often meaningless and uninteresting buildings around us. What was forgotten, was beauty, attractiveness, excitement, surprise, challenges, the romantic, erotic and vitality. Shock waves came in 1981, when an Avant Garde design group in Milan, Italy, formed Memphis, a radical design movement. The name was derived from the song of Bob Dylan: Stuck Outside of Mobile with the Memphis Blues Again. There is a link between the old Egyptian capital Memphis and the birthplace of Elvis Presley. Memphis pretended the amalgamation of the absurd contemporary, with the classic and the exotic. The principles in the group were Ettore Sottsass, Mattheo Thun, Marco Zanini and Aldo Cibic. In Memphis, we discover the characteristics of the earlier art periods and design styles, such as; Cubism, Pointillism, Art deco, Futurism, Pop-art, the Abstract and Dadaism. Memphis appealed strongly to the psyche, the psychological and the spiritual longing of every individual.
Bright colours, strange and whimsical designs, including surprising combinations of material became the hallmark of Memphis' designs. The contrast was enormous between the then accepted mundane international style and Memphis. In Memphis, every product could develop its own characteristics, and when the complexity became more intense, a subject could again develop its own message with humor and excitement.
Memphis has not been able to penetrate today's floral art. Indeed, a missed opportunity for inspiration and renewal.

Memphis

De Memphis-stijl heeft grote invloed gehad op het design.
Bloemsierkunst kan daar haar voordeel mee doen en komen tot een vernieuwende vormgeving, materiaal- en kleurgebruik.
Opvallend anders, dat is het zeker!
Gebruikte materialen: Zaalberg-aardewerk, Oasis, *Eucalyptus*, mos, *Zantedeschia*, *Tulipa*, *Craspedia globosa*, metaal, plastic, draad.

Memphis

The Memphis style has had a great influence on design.
This could be very beneficial to the floral art world with respect to a renewal of design, material and use of colours.
Strikingly different; that's for sure!
Materials used are: Zaalberg pottery, Oasis, *Eucalyptus*, moss, *Zantedeschia*, *Tulipa*, *Craspedia globosa*, metal, plastic sheets, wire.

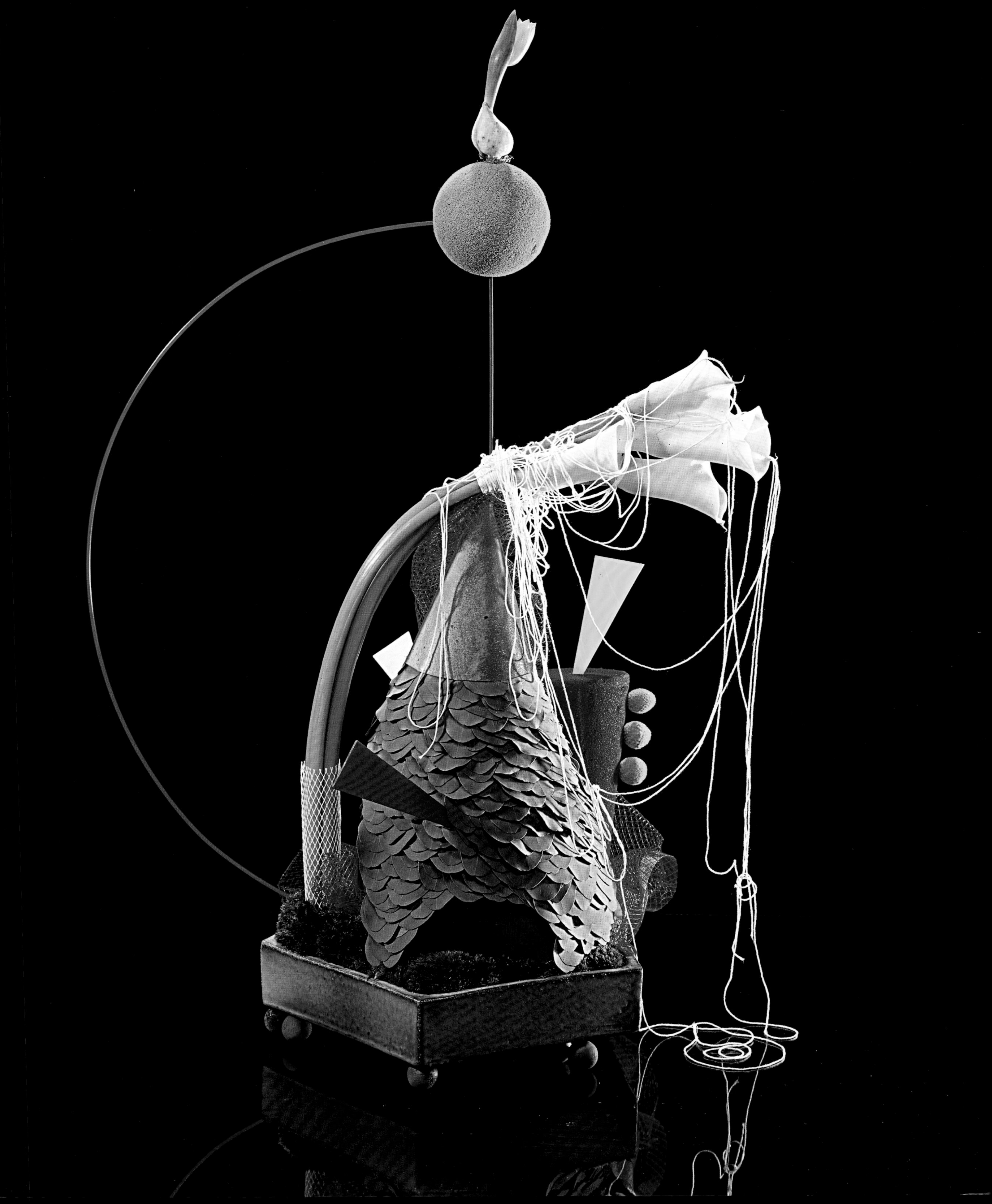

Nestbouw

Een experiment met als startpunt de nestbouw van vogelsoorten. Kijk eens in bomen en struiken hoe vogels hun nest bouwen en laat u leiden door hun techniek, constructie en sierlijkheid.
Gebruikte materialen: metalen frame, *Betula*, mos, *Humulus*, *Gloriosa superba* 'Rothschildiana', heksenbezem.

Nest Building

This experiment started with observing the nest building techniques of various species of birds. Look into the trees and shrubs, see how birds build their nest and be inspired by their techniques, construction and gracefulness.
Materials used are: Metal frame, *Betula*, moss, *Humulus*, *Gloriosa superba* 'Rothschildiana', witches broom.

STRUCTUUR, TEXTUUR EN CONTRAST

Massa en lijn

Massa en lijn vormen in de eigentijdse vormgevende bloemsierkunst een krachtig samengaan van boeiende design-elementen. Belangrijk is ook het spel van de verschillende texturen en de kleurcontrasten.
Gebruikte materialen: glazen vaas, mos, *Cotoneaster, Juniperus communis, Thymus vulgaris, Hydrangea, Hedera,* kopergaas.

Mass and Line

The forms of mass and line provide a powerful combination of striking design elements in this contemporary floral art form. Important to note is the interplay of the various textures and colour contrasts.
Materials used are: Glass vase, moss, *Cotoneaster, Juniperus communis, Thymus vulgaris, Hydrangea, Hedera,* copper screening.

Structure, Texture and Contrast

Spel met de ballen

Speelse partituur van groeperingen, textuureffectjes en onverwachte sierlijkheid van het blauwe draad met gekleurde ballen.
Gebruikte materialen: glazen schaal, *Thymus vulgaris*, *Hydrangea*, mos, *Hedera*, *Allium*, koper.

Playing with Balls

This design suggests a playful interaction between the groupings, texture effects, and the unexpected gracefulness of the blue wire with colourful balls.
Materials used are: Glass dish, *Thymus vulgaris*, *Hydrangea*, moss, *Hedera*, *Allium*, copper.

Compositie in geel

In een decoratieve compositiewijze is een meerlagenstructuur aangebracht met als een doorkijk een tussenvorm van gebogen wilgentakken en groen blad. De kaarsen staan statig hun lichtend werk te doen.
Gebruikte materialen: Mobach-aardewerk, Oasis, *Salix matsudana* 'Tortuosa', *Baxteria australis* (lintdracaena), *Dianthus caryophyllus*, *Gerbera*, mos, Molca design-kaarsen.

Composition in Yellow

This decorative composition is composed of a multi-layered structure, with a look through form of bent willows and dracaena foliage. The stately candles cast their soft light on the composition.
Materials used are: Mobach pottery, Oasis, *Salix matsudana* 'Tortuosa', *Baxteria australis* (ribbon dracaena), *Dianthus caryophyllus*, *Gerbera*, moss, Molca design candles.

Vlechten

Dooreenvlechten van wilgentakken, blad en *Anthurium*-bloemen leidt tot een onverwacht effect. Ook de opvallende moderne metalen vaas werkt daar aan mee. De vormgeving is alzijdig en gekenmerkt door de open constructie.
Gebruikte materialen: metalen vaas, Oasis, *Salix matsudana* 'Tortuosa', *Anthurium* 'Lipstick', *Baxteria australis* (lintdracaena), *Pinus strobus*, mos, raffia.

Braiding

The braiding of willow branches, foliage and *Anthurium* blossoms led to an unexpected effect. The eye catching modern metal vase reinforces the design. The design is all round and striking, due to the open construction.
Materials used are: Metal vase, Oasis, *Salix matsudana* 'Tortuosa', *Anthurium* 'Lipstick', *Baxteria australis* (ribbon dracaena), *Pinus strobus*, moss, raffia.

Structuurberg

Landschapsschikking, een massa in verschillende texturen en een organisch welvend patroon, waarbinnen fijne materiaaldetaillering. Elke zijde is anders vormgegeven en contrasten spelen een grote rol. Gebruikte materialen: metalen bak, Oasis, mos, *Chamaecyparis obtusa* 'Nana Gracilis', *Pieris japonica, Aristolochia macrophylla, Thuja occidentalis, Cedrus libani* subsp. *atlantica* Glauca Groep, rendiermos.

Structured Mountain

This landscape arrangement contains a wealth of assorted textures and organically contoured patterns with a detailed application of materials. Each side is different and contrasts play a large role. Materials used are: Metal tray, Oasis, moss, *Chamaecyparis obtusa* 'Nana Gracilis', *Pieris japonica, Aristolochia macrophylla, Thuja occidentalis, Cedrus libani* subsp. *atlantica* Glauca Group, reindeer moss.

Eenvoud in contrast

De eenvoud van het groene kussentjesmos in de schaal in contrast met de oranjerode bessen van de *Arum* leidt tot kracht, rust en contemplatie. Het koperdraad speelt een eigen spel tussen de bloemen, verbindend en verstrengelend.
Gebruikte materialen: metalen schaal, Oasis, mos, *Asarum*, *Arum italicum*, *Hedera erecta*, koperdraad.

Simplicity in Contrast

The simplicity of the green pillow or bun moss in a low dish is in sharp contrast with the orange-red berries of the *Arum* which leads to strength, rest and contemplation. The copper wire weaves its own pattern between the flowers, connecting and entwining.
Materials used are: Metal dish, Oasis, moss, *Asarum*, *Arum italicum*, *Hedera erecta*, copper wire.

Bindsels

Tussen de ranken bevinden zich de bloemen als onder een gaaswerk. Doorzichtig groen geeft een vederlichte en transparante overhuiving.
Gebruikte materialen: aardewerk vaas, *Parthenocissus, Eucalyptus, Veronica, Eustoma, Limonium* 'Emille', *Setaria, Scabiosa, Brodiaea, Asparagus setaceus, Trachelium, Agastache.*

Bindings

Flowers are peeping through the vines and tendrils as if hidden under a metal screen. The transparent greens give a featherlight and veiled appearance.
Materials used are: Pottery vase, *Parthenocissus, Eucalyptus, Veronica, Eustoma, Limonium* 'Emille', *Setaria, Scabiosa, Brodiaea, Asparagus setaceus, Trachelium, Agastache.*

Seizoenssfeer

De zomer in je kop

Als reflectie en spiegelbeeld straalt een zonnige zomer je tegemoet in dit grappige effect en bloemenspel.
Het is geen truc, maar echte fotografie van Jan van der Loos.
Gebruikte materialen: een collectie van zomerbloemen.

Seasonal Atmoshere

Summer time

Reflection and mirror images project a happy, sunny, summer day in this amusing play of flowers.
This is not just a photographic trick, but reality captured by photographer Jan van der Loos.
Materials used are: A collection of summer flowers.

Lente langs Hollandse wegen

Tere voorjaarsbloemen zijn parallel-vegetatief bijeengevoegd tot een overdadig, maar toch subtiel bloemrijk sfeerbeeld van nieuwe groei en hoop, lente.
Gebruikte materialen: een verzameling wilde Nederlandse veldbloemen.

Spring along Holland's Country Roads

Delicate spring flowers are arranged in a parallel-vegetative manner into an abundant yet subtle flowery atmosphere of new growth, hope and spring.
Materials used are: A gathering of Dutch wild flowers.

Zomerse warmte en zon

Sierlijke elegantie door een kruiselings samengaan van een bonte collectie zomerbloemen, in drie potten tot eenheid gebracht.
Gebruikte materialen: aardewerk vazen, vellenmos, *Solidago, Helianthus annuus, Aconitum, Allium, Astilbe, Hypericum, Ranunculus, Papaver, Hedera, Xerophyllum tenax* (berengras), *Galax urceolata, Buxus, Celosia plumosa, Mahonia, Myosotis, Rudbeckia, Chrysanthemum (Tanacetum) parthenium, Calendula officinalis, Lavandula.*

Summer Sun and Warmth

A multi coloured collection of summer flowers is arranged in 3 flower pots, with flowers gracefully crossing and spilling over into each other, creating elegant unity.
Materials used are: Pottery vases, sheet moss, *Solidago, Helianthus annuus, Aconitum, Allium, Astilbe, Hypericum, Ranunculus, Papaver, Hedera, Xerophyllum tenax* (bear grass), *Galax urceolata, Buxus, Celosia plumosa, Mahonia, Myosotis, Rudbeckia, Chrysanthemum (Tanacetum) parthenium, Calendula officinalis, Lavandula.*

Vreemde vogel

De vorm van deze schikking doet denken aan een vreemde vogel, dit vanwege de basis van takkenbindsels en het over de schikking gedrapeerde lint en papierkoord. Als basis dient een rustieke roestige ijzeren ondergrond. Van wilgentakken is een bindsel met raffia gemaakt, de bloemen zijn daartussen verwerkt. Een minimaal blauw accent tussen het geel geeft een verrassend subtiel kleureffect.
Gebruikte materialen: *Salix matsudana* 'Tortuosa', *Helianthus, Hypericum, Crocosmia, Lysimachia vulgaris, Solidago, Asclepias tuberosa, Helenium, Veronica, Trachelium, Polystichum, Asparagus sprengeri, Chamaecyparis lawsoniana.*

A Strange Bird

The form of this arrangement reminds one of a strange bird, mainly because of the base of twig bindings, the draped ribbon and paper cording over the design. The base is a rustic, rust coloured metal container. Willow branches are bound with raffia to provide a base through which the flowers are placed. A minimal blue accent between the yellow flowers gives a surprising subtle colour effect.
Materials used are: *Salix matsudana* 'Tortuosa', *Helianthus, Hypericum, Crocosmia, Lysimachia vulgaris, Solidago, Asclepias tuberosa, Helenium, Veronica, Trachelium, Polystichum, Asparagus sprengeri. Chamaecyparis lawsoniana.*

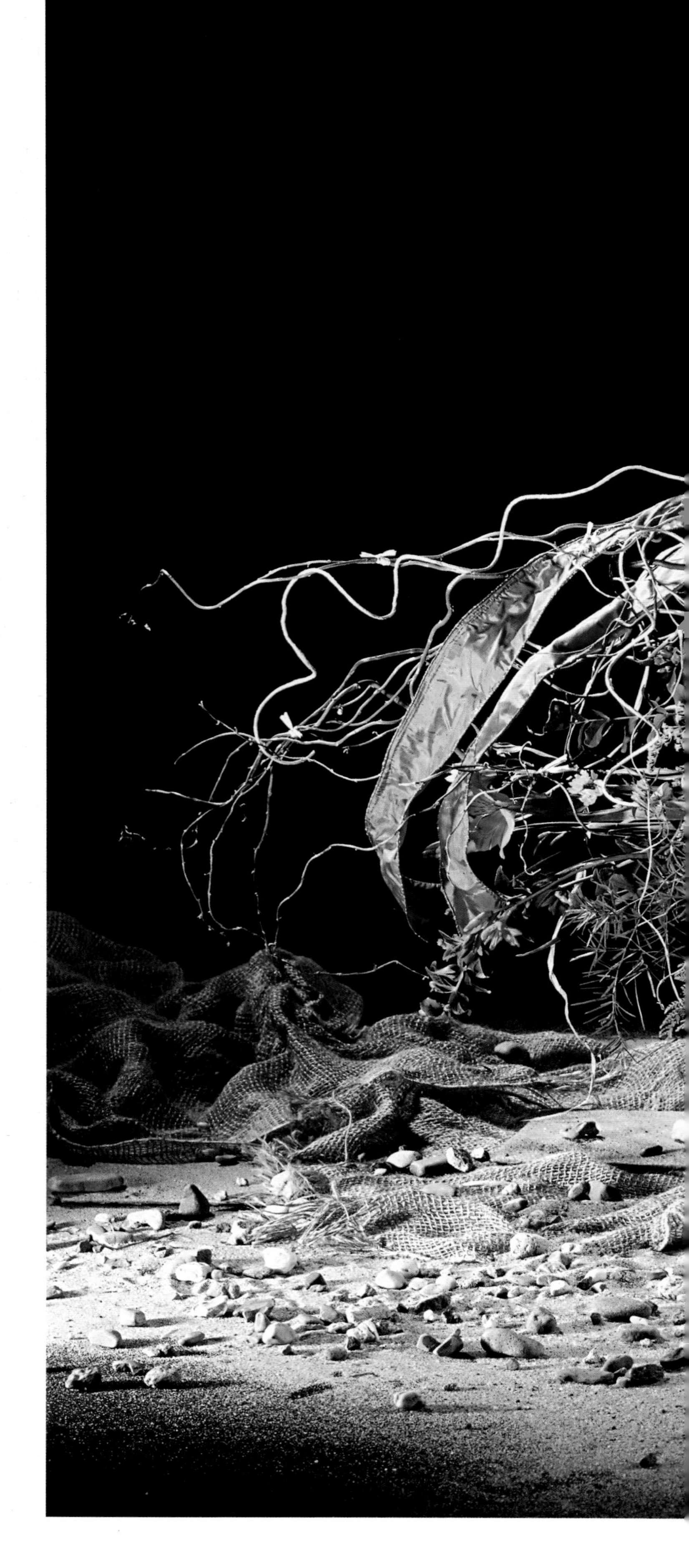

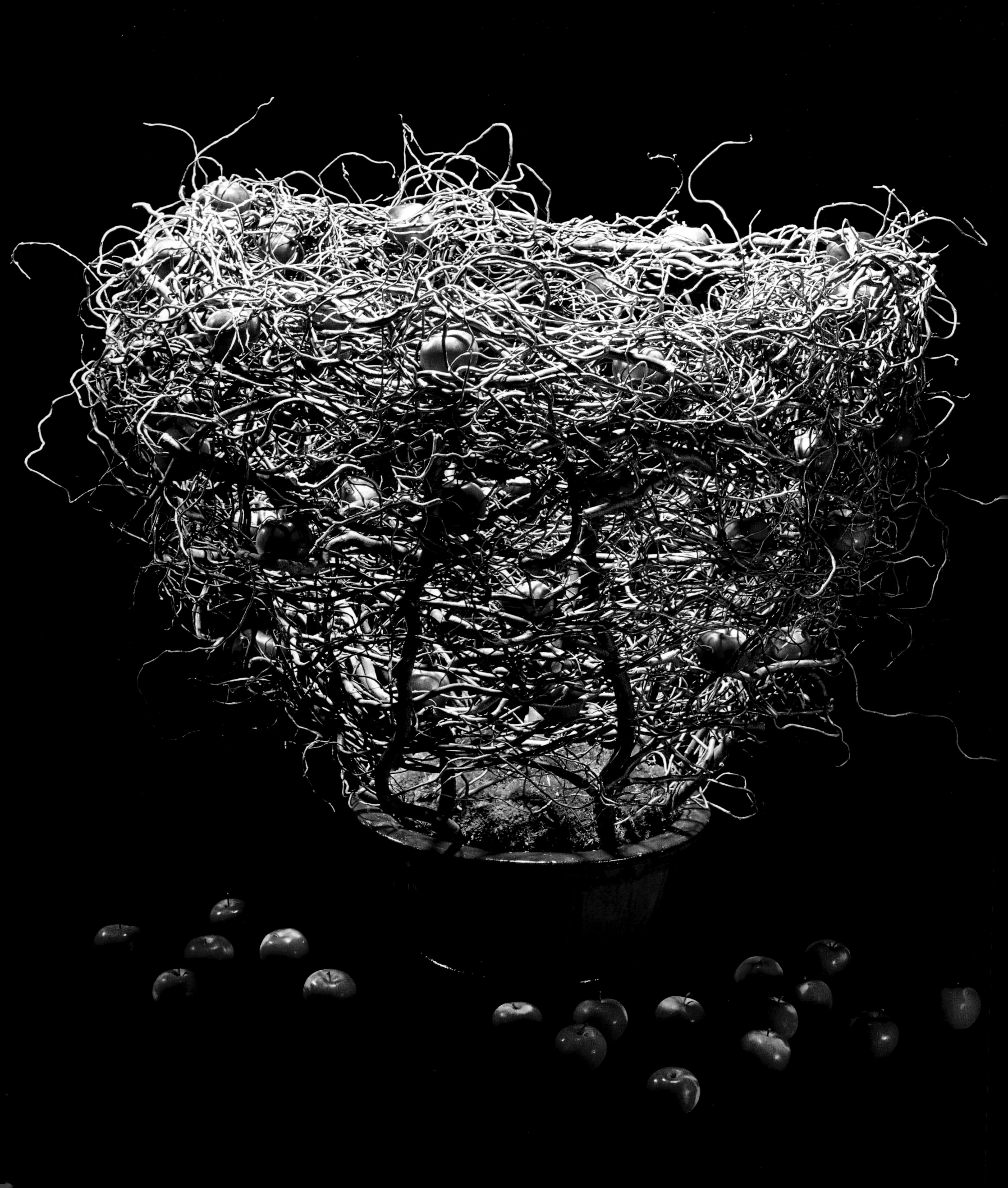

Wilgennest

Bindselen, vlechten en weven zijn boeiende en belangrijke eigentijdse technieken in de bloemsierkunst. Het biedt ons een rijke bron aan creatieve mogelijkheden naar design-vormen. In deze constructie van 115 cm hoog zijn appels tussen de takken geklemd.
Gebruikte materialen: aardewerk pot, Oasis, mos, *Salix matsudana* 'Tortuosa', *Malus*-appels, metaaldraad.

Willows' Nest

Bindings, braiding and weaving are fascinating and important contemporary techniques used in floral art. It provides us with a rich source of creative possibilities to develop design forms. This construction of curly willow stands 115 cm tall, in which apples are wedged between the branches.
Materials used are: Ceramic jardinier, Oasis, moss, *Salix matsudana* 'Tortuosa', *Malus* apples, metal wire.

25 DECEMBER

Kerstsfeer

Massa en lijn in een kerstsfeer toegepast. Het interessante is het zoeken naar een spannend evenwicht door symmetrie of door asymmetrie, door eenzijdigheid, tweezijdigheid of alzijdigheid. Ook de statige kaarsen zijn sterk vormbepalend.
Gebruikte materialen: metalen vaas, Oasis, kippengaas, vellenmos, *Cornus alba* 'Sibirica', *Eucalyptus, Chamaecyparis obtusa* 'Nana Gracilis', *Skimmia, Cynara scolymus, Cryptomeria japonica, Pinus, Punica granatum,* mangistan, *Garcinia mangostana.*

DECEMBER 25

The Atmosphere of Christmas

Mass and line are combined in this Christmas arrangement. It is always interesting to look for an exciting balance between symmetry or asymmetry, one sided, two sided or an all round arrangement. The stately candles strongly influence the design and help determine the form.
Materials used are: Metal vase, Oasis, chicken wire, sheet moss, *Cornus alba* 'Sibirica', *Eucalyptus, Chamaecyparis obtusa* 'Nana Gracilis', *Skimmia, Cynara scolymus, Cryptomeria japonica, Pinus, Punica granatum,* mangosteen, *Garcinia mangostana.*

Grilligheid

Kerstmis kent in bloemwerk vele sferen. Hier is een dynamisch, bijna organisch samenspel ontstaan tussen krachtige takken, mooie vormen van het groen en de rust van de geometrisch gevormde blauwe bolkaarsen.
Gebruikte materialen: aardewerk pot, Oasis, druiventakken, *Cryptomeria japonica*, mos, *Pinus*, *Chamaecyparis lawsoniana*, *Cornus alba* 'Sibirica', Molca design-kaarsen.

Whimsical

Christmas can summon many atmospheres in an arrangement. This arrangement shows a dynamic, almost organic play between the bold and strong branches, the beauty of the greens and the quiet of the geometrically formed blue ball candles.
Materials used are: Earthenware jardinier, Oasis, *Cryptomeria japonica*, moss, grapevines, *Pinus*, *Chamaecyparis lawsoniana*, *Cornus alba* 'Sibirica', Molca design candles.

Chinese sfeer

De eigenzinnige uitstraling in dit arrangement ontstaat vanwege de compositiewijze, de kleuropzet en de gebruikte decoratieve materialen. Op de bamboestokken is Oasis met gaas bevestigd, waarna de grote toef is gemaakt. Decoratieve elementen versterken de sfeer.

Gebruikte materialen: aardewerk pot, Oasis, bamboe, *Cryptomeria japonica, Chamaecyparis lawsoniana, Pinus, Chamaecyparis obtusa* 'Nana Gracilis', *Malus*-appels, kopergaas, gedroogde limoenen, *Citrus aurantifolia.*

Chinese Atmosphere

The unusual characteristic of this arrangement is the result of the method of composition, the colour scheme, and the decorative materials used.

Oasis, supported by chickenwire, is fastened to the bamboo poles, which feature a grouping of plant materials. Decorative elements strengthen the atmosphere.

Materials used are: Earthenware jardinier, Oasis, bamboo, *Cryptomeria japonica, Chamaecyparis lawsoniana, Pinus, Chamaecyparis obtusa* 'Nana Gracilis', *Malus* apples, copper screening, dried limes, *Citrus aurantifolia.*

Decoratief bindsel

Een opvallend kerstarrangement waarbij het kransvormige bindsel, dat zwevend op de wilgentakken is geplaatst, een origineel en decoratief effect veroorzaakt.
Gebruikte materialen: aardewerk pot, Oasis, mos, *Salix matsudana* 'Tortuosa', *Pinus strobus*, decoratieve materialen, Vaban-lint en -koord.

Decorative Bindings

A striking Christmas arrangement features wreath shaped bindings, suspended from willow branches, creating an original and decorative effect.
Materials used are: Earthenware jardinier, Oasis, moss, *Salix matsudana* 'Tortuosa', *Pinus strobus*, decorative materials, Vaban ribbon and cording.

Exotische sierlijkheid

De hangende daken van Oosterse bouwwijzen dagen uit deze als vormelement te hanteren in ons bloemwerk. Dit is een spel geworden van structuur, texturen, massa, lijn en elegantie.
Gebruikte materialen: aardewerk vaas, Oasis, mos, spaghnum, bamboe, *Thuja occidentalis*, *Cedrus libani* subsp. *atlantica* Glauca Groep, *Cornus alba* 'Sibirica', *Eucalyptus*, *Malus*, metaal.

Exotic Elegance

The suspended roof lines of the Eastern building techniques provided a challenge to use this form element into an arrangement. This has developed into a play of structure, textures, mass, line and elegance.
Materials used are: Earthenware vase, Oasis, moss, spaghnum, bamboo, *Thuja occidentalis*, *Cedrus libani* subsp. *atlantica* Glauca Group, *Cornus alba* 'Sibirica', *Eucalyptus*, *Malus*, metal.

Onder een hoedje

Sierlijke speelsheid en uitdagende torentjes, dakjes die de Oosters georiënteerde schikking bekronen in een onverwacht en elegant samenspel.
Gebruikte materialen: aardewerk vaas, Oasis, mos, *Cedrus libani* subsp. *atlantica* Glauca Groep, bamboe, *Galax urceolata, Thuja occidentalis*, kegels, *Betula.*

Under the Hats

Elegant playfulness and challenging turrets put the crowning touch on an eastern inspired arrangement, displaying an unexpected and elegant ensemble.
Materials used are: Earthenware vase, Oasis, moss, *Cedrus libani* subsp. *atlantica* Glauca Group, bamboo, *Galax urceolata, Thuja occidentalis*, cones, *Betula.*

SYMBOLEN

De aarde eren

Een symbolische uitbeelding van de vernietiging van onze aarde, het milieu en onze verantwoordelijkheid daarvoor. Zorg geven aan de aarde, een groene wereldbol met een rode roos van liefde en vrede, bloemenpracht bij een goed beheer, dorheid en dood bij vervuiling en onachtzaamheid. Dorre takken, stenen, afval en vergaan materiaal geven vernietiging aan. Door verantwoord omgaan met de natuur ontstaat groei en bloei, leven, hoop en toekomst, herkenbaar in de zijde met de bloemen uit het veld. Dit alles vindt zijn climax in de op druivenranken zwevende aardbol van levend en dood materiaal, *Thuja*, *Laurus nobilis*, *Hedera* en mos als levens- en overwinningssymbool, een rode roos als uiting van liefde en geloof. Bloemen in de bol steekt u in buisjes met water, onmisbaar symbool van het zorgen voor al wat leeft.

SYMBOLS

Honour the Earth

A symbolic portrayal of the destruction of our earth and our responsibility for the environment. To care for the earth, a green globe with a red rose of love and peace, a wealth of flowers through good stewardship, withered and death by pollution and carelessness. Withered branches, stones, waste and decayed material signify destruction. By being responsible for nature, we see growth and flowering, life, hope and the future. This is shown on the side with flowers from the field. All of this finds its climax in the suspended earthly globe of living and dying material, supported by grapevines. *Thuja*, *laurus nobilis*, *Hedera* and moss symbolize life and victory; a red rose as an expression of love and faith. Flowers in the globe are placed in water vials, an unmistakable symbol of care for all that lives.

Barmhartigheid en liefde doorbreken grenzen

Bemint uw vijanden en weest barmhartig (oordeelt niet, dan zult ge niet zelf geoordeeld worden) (Luc.6:27-38 en Matth.5-:44-46). Bloemen doorbreken de omheining. Rode bloemen verwijzen naar de geest die ons helpt onszelf te overstijgen en symboliseren liefde, witte lelie is zuiverheid, tulp gebed, wilg en Hedera levenskracht en hoop.
Gebruikte materialen: Mobach-aardewerk, Oasis, *Lilium*, *Rosa*, mos, *Hedera*, *Cedrus*, *Tulipa*, *Berberis*, stenen.

Charity and Love Break Through Barriers

Love your enemy and be charitable (do not judge and thou shall not be judged) (Luc.6:27-38 and Matth.5:44-46). Flowers break through the barriers. Red flowers direct us to the spirit to help us go beyond ourselves, as well as symbolize love. The white lily is for purity, tulips for prayer, and willow and ivy for life and hope.
Materials used are: Mobach earthenware, Oasis, *Lilium*, *Rosa*, moss, *Hedera*, *Cedrus*, *Tulipa*, *Berberis*, rocks.

Symbool van geloof

De symboliek van het bloemenkruis optimaliseren we in de reine witte kleur. Rode rozen symboliseren liefde en witte lelies reinheid, symbool van geloof.
Gebruikte materialen: houten basisvorm, Oasis, sphagnum, *Dianthus caryophyllus, Lilium, Rosa, Hedera, Ilex, Thuja occidentalis, Salix.*

Symbol of Faith

The symbol of the cross is optimized by the use of pure white flowers. Red roses symbolize love and white lilies purity, the symbol of faith.
Materials used are: Wooden base form, Oasis, sphagnum, *Dianthus caryophyllus, Lilium, Rosa, Hedera, Ilex, Thuja occidentalis, Salix.*

Symbool van hoop

Het anker is een oud symbool van hoop en leven, groene kleuren ondersteunen dit samen met *Sempervivum* (altijd leven) en *Hedera*-blad.
Gebruikte materialen: houten basisvorm, Oasis, mos, *Hedera, Sempervivum.*

Symbol of Hope

The anchor is an old symbol of hope and life.
The assorted green colours support this in accordance with the Sempervivum (life for ever) and Ivy foliage.
Materials used are: Wooden base form, Oasis, moss, *Hedera, Sempervivum.*

Symbool van liefde

De betekenis komt in dit bloemenhart maximaal tot zijn recht. De zonnebloem betekent gerichtheid naar God, groene *Hedera*-ranken staan voor hoop en *Thuja* voor leven. Gebruikte materialen: houten basisvorm, Oasis, kippengaas, *Dianthus caryophyllus, Thuja occidentalis, Hedera, Helianthus annuus.*

Symbol of Love

The significance of love is very evident in this floral heart. The sunflower means one's orientation toward God. Green Ivy tendrils signify hope and *Thuja* stands for life. Materials used are: Wooden basis form, Oasis, chickenwire, *Dianthus caryophyllus, Thuja occidentalis, Hedera, Helianthus annuus.*

Liefde

Liefde onder Gods bescherming (Gen.9:16; 1 Kor.13:1-7).
De wilgenboog is een teken van verbond en van leven, klimop is een beeld van trouw, *Thuja* is een levenssymbool, rode rozen symboliseren liefde, groen staat voor hoop en groei, scherven, doornen en zand herinneren ons aan gevaren die steeds weer overwonnen moeten worden. De kaars is een lichtsymbool, goud verwijst naar vreugde en duurzaamheid.

Love

Love under God's protection (Gen.9:16; 1 Cor.13:1-7).
The willow arch is a sign of affiliation and life. Ivy is a sign of faithfulness, *Thuja* a symbol of life. Red roses symbolize love, and green represents hope and growth. Shards, thorns and sand remind us of the dangers which will have to be overcome on a continual basis. The candle is the symbol of light and gold refers to joy and constancy.

Wegbereiding

In deze adventschikking is een houtstronk de basisvorm. In een opgaande lijn geven de kaarsen de weg tijdens de Advent aan. Het groen symboliseert de hoop, *Thuja* staat voor het leven. Links in de schikking zijn als eenvoudsymbolen zand en zwarte stenen gebruikt, terwijl rechts, dicht bij Kerstmis, het levende hoopvolle groen is verwerkt.
Gebruikte materialen: metalen schaal, Oasis, *Hedera*, kussentjesmos, rendiermos, *Thuja occidentalis* 'Golden Globe', kaarsen.

Paving The Way

A piece of driftwood forms the basis of this Advent arrangement. The rising lines of the candle point the way for the Advent season. The greens symbolize hope and *Thuja* signifies life. Sand and black rocks, as symbols of simplicity, have been arranged to the left of the composition, while to the right, closest to Christmas, the promising and living greens are used.
Materials used are: Metal dish, Oasis, *Hedera*, bun moss, reindeermoss, *Thuja occidentalis* 'Golden Globe', candles.

WAAIERS

Waaierspel

In de ceramiekvaas is een basisbindsel gemaakt in een boogvorm, als een waaier. Tussen de boog zijn de vuurpijlen en het groen gestoken. Boven de vaasrand is van de bloemen een decoratief patroon gemaakt. Deze vormgeving kan zowel een- als tweezijdig worden opgemaakt.
Gebruikte materialen: *Salix alba* 'Tristis', *Setaria, Asparagus setaceus, Craspedia globosa, Kniphofia, Hypericum.*

FAN DESIGNS

Fan Game

A base binding is fashioned into an arch and placed in a ceramic vase like a fan. Red hot pokers and greens are positioned between the arched branches. Just above the rim of the vase, flowers have been arranged in a decorative pattern. This design can be made as a one or two sided arrangement.
Materials used are: *Salix alba* 'Tristis', *Setaria, Asparagus setaceus, Craspedia globosa, Kniphofia, Hypericum.*

Wuivende palmen

De waaiervorm wordt ingezet door de twee fraaie, geknipte palmbladen en ondersteund door de boog van sierlijk groen en gele anjers die tussen de palmbladen door loopt en met diep daartussen het contrast van de blauwe *Hydrangea.* Gebruikte materialen: glazen vaas, Oasis, palmblad, *Asparagus setaceus, Asparagus densiflorus* 'Meyers', *Hydrangea, Dianthus caryophyllus, Solidago,* plasticfolie.

Waving Palms

The fan form is created by two nicely clipped palm leaves, supported by an arch of graceful greens and yellow carnations flowing between the palm leaves, creating a strong contrast with the blue Hydrangeas which have been grouped deeper in the composition.
Materials used are: Glass vase, Oasis, palm fronds, *Asparagus setaceus, Asparagus densiflorus* 'Meyers', *Hydrangea, Dianthus caryophyllus, Solidago,* plastic foil.

Decoratieve waaier

Een decoratieve waaiervorm in een mass-design, bedekt met vele blaadjes en een sterk textuureffect. De beide zijden van de schikking tonen een ander uiterlijk, daarmee verrassing scheppend voor de toeschouwer.
Gebruikte materialen: aluminium container, piepschuim Oasis, kippengaas, *Cedrus libani* subsp. *atlantica* Glauca Groep, *Limonium perezii*, *Aristolochia*, mos, *Tillandsia usneoides*, *Chamaecyparis obtusa* 'Nana Gracilis'.
Rechterfoto: op deze zijde van de waaiervorm zijn ook gebruikt: *Eucalyptus*, *Limonium*, *Pyracantha*.

Decorative Fan

This mass design features a fan form which has been covered with many little leaves, providing a strong textural effect. Both sides of the fan arrangement are different, thus creating a surprising element to the viewer. Materials used are: Aluminum container, Oasis sec, chicken wire, *Cedrus libani* subsp. *atlantica* Glauca Group, *Limonium perezii, Aristolochia,* moss, *Tillandsia usneoides, Chamaecyparis obtusa* 'Nana Gracilis'. On this side of the fan the following are used: *Eucalyptus, Limonium, Pyracantha.*

Massa en lijn

Spel met lijnen

De schoonheid van deze eigentijdse compositie in de klassieke metalen vaas gaat hier samen met de lineaire vormgeving van de bloemen, bindsels, groepering en lijnvoering.
Gebruikte materialen: *Salix*, *Leucospermum*, *Echinacea purpurea*, *Hydrangea*, *Veronica*, *Viburnum*, *Amaranthus caudatus*, *Pandanus*, *Ligularia*-blad, *Zantedeschia*, *Galax urceolata*, *Vriesea*, *Asparagus setaceus*, *Asparagus umbellatus*, *Asparagus densiflorus* 'Meyers', *Rubus*, varen, *Aspidistra elatior*, mos, koperdraad.

Mass and Line

Linear Plays

The beauty of this contemporary composition, arranged in a classic metal vase, is designed in conjunction with the linear styling of the flowers, bindings, groupings and line directions.
Materials used are: *Salix*, *Leucospermum*, *Echinacea purpurea*, *Hydrangea*, *Veronica*, *Viburnum*, *Amaranthus caudatus*, *Pandanus*, *Ligularia foliage*, *Zantedeschia*, *Galax urceolata*, *Vriesea*, *Asparagus setaceus*, *Asparagus umbellatus*, *Asparagus densiflorus* 'Meyers', *Rubus*, ferns, *Aspidistra elatior*, moss, copper wire.

Vormenspel en contrast

Contrast tussen kleur, lijn, vorm en materiaal kan leiden tot interessante composities. Textuurverschillen tussen materialen en groepering maken het geheel nog boeiender.
Gebruikte materialen: metalen vaas, oasis, mos, *Hedera erecta*, *Viburnum davidii*, *Cynara scolymus*, *Telopea speciosissima* (waratah), *Cryptomeria* 'Cristata', *Juniperus* x *media*.

Play with Form and Contrast

Contrasts between colour, line, form and material can lead to interesting compositions. Textural differences between materials and groupings make the whole even more compelling.
Materials used are: Metal vase, Oasis, moss, *Hedera erecta*, *Viburnum davidii*, *Cynara scolymus*, *Telopea speciosissima* (waratah), *Cryptomeria* 'Cristata', *Juniperus* x *media*.

Vakantiebloemen

In deze compositie zijn massa en structuur het motief van vormgeving. Daarbij komt de groeiwijze van de *Agave*-bloemen die op natuurlijke wijze in contrast staan met de decoratieve massa-vorm. De speelse elementen met de *Galax*-blaadjes maken de compositie minder statisch en massief. Gebruikte materialen: metalen vaas, styrophoam, Oasis, mos, *Galax urceolata, Cedrus libani* subsp. *atlantica* Glauca Groep, metaaldraad.

Flowers, discovered on vacation

In this composition, mass and structure are the motivation behind the design. This, in part, is due to the inflorescence of the *Agave* flowers, which in their natural setting, are in contrast with the decorative mass form.

The playful elements with the *Galax* leaves makes this composition less static and massive.

Materials used are: Metal vase, styrofoam, Oasis, moss, *Galax urceolata, Cedrus libani* subsp. *atlantica* Glauca Group, metal wire.

Cirkels in beweging

Lijnen van in de winter rode *Cornus*-takken gebogen in kruisende richtingen als meridianen rond de aarde.
Het decoratieve effect, de eenvoud aan materialen en het compositieprincipe maken de kracht alleen maar groter, een vorm van minimalisme.
Gebruikte materialen: aardewerk schaal, Oasis, mos, *Cornus alba* 'Sibirica', appels.

Circles in Motion

The lines of the red *Cornus* twigs are bent into crosswise directions, resembling the meridians around the earth.
The decorative effect, the simplicity of the materials and the composition principles applied, increase the strength and form of this minimalistic design.
Materials used are: Pottery dish, Oasis, moss, *Cornus alba* 'Sibirica', apples.

Onverzettelijke kracht

Massa is altijd een vorm van kracht en onverzettelijkheid. Hier is de massa uitgangspunt voor de vele texturen, lijnen, ruimtes en toch ook elegante verrassing. Een ijzeren frame dient als basisconstructie.
Gebruikte materialen: houten bak, metalen frame, Oasis, *Berzelia galpinii, Juniperus, Pinus mugo* var. *mugo, Pinus strobus, Rhus typhina, sphagnum, Hedera,* koperplaat.

Unyielding Strength

Mass always gives the appearance of unyielding strength. Here, mass is used as a form of departure for the various textures, lines, voids, and yet also with some elegant surprises. A metal frame is used as a base construction.
Materials used: Wooden tray, metal frame, Oasis, *Berzelia galpinii, Juniperus, Pinus mugo* var. *mugo, Pinus strobus, Rhus typhin*a, sphagnum, *Hedera,* copper sheets.

GEOMETRIE

GEOMETRY

Orthogonaal

De serie van drie foto's geeft enkele mogelijkheden aan van vormverandering bij plaatsing of verplaatsing van een enkel materiaal. De invloed van een enkele wijziging kan dramatisch zijn. De vormgeving is compact massief en verandert naar massa-lijn. De kubusvormige orthogonale compositiewijze leidt tot een eenvoudige maar sterke compositie.
Gebruikte materialen: metalen bak, water, eendenkroos, Oasis, kippengaas, *Sorbus aucuparia* (lijsterbes), *Cryptomeria japonica*.

Orthogonal

The series of three photographs show several possibilities of design changes through the positioning and repositioning of a single item/material. The influence of a single (solitary) change can be dramatic. The design is a compact mass and changes to a mass-line. The methods used in the cube shaped orthogonal composition can lead to a simple but strong composition.
Materials used are: Metal tray, water, duck weed, Oasis, chicken wire, *Sorbus aucuparia* (Mountain ash berries), *Cryptomeria japonica.*

Kastanjebol

Bollen zijn magisch en boeien altijd weer. De contrasten tussen de orthogonale, centrale en lineaire vormelementen leiden tot een spannend geheel. Tevens blijft de totale uitstraling eenvoudig en krachtig.
Gebruikte materialen: koperdraad, metalen bak, water, eendenkroos, *Aesculus hippocastanum, Wisteria.*

Chestnut Ball

Balls or spheres are magic and tend to always fascinate. The contrasts between the ortogonal, central and linear form elements leads us to an exciting whole. The total appearance of this design is simple and powerful.
Materials used are: Copper wire, metal tray, water, duck weed, *Aesculus hippocastanum, Wisteria.*

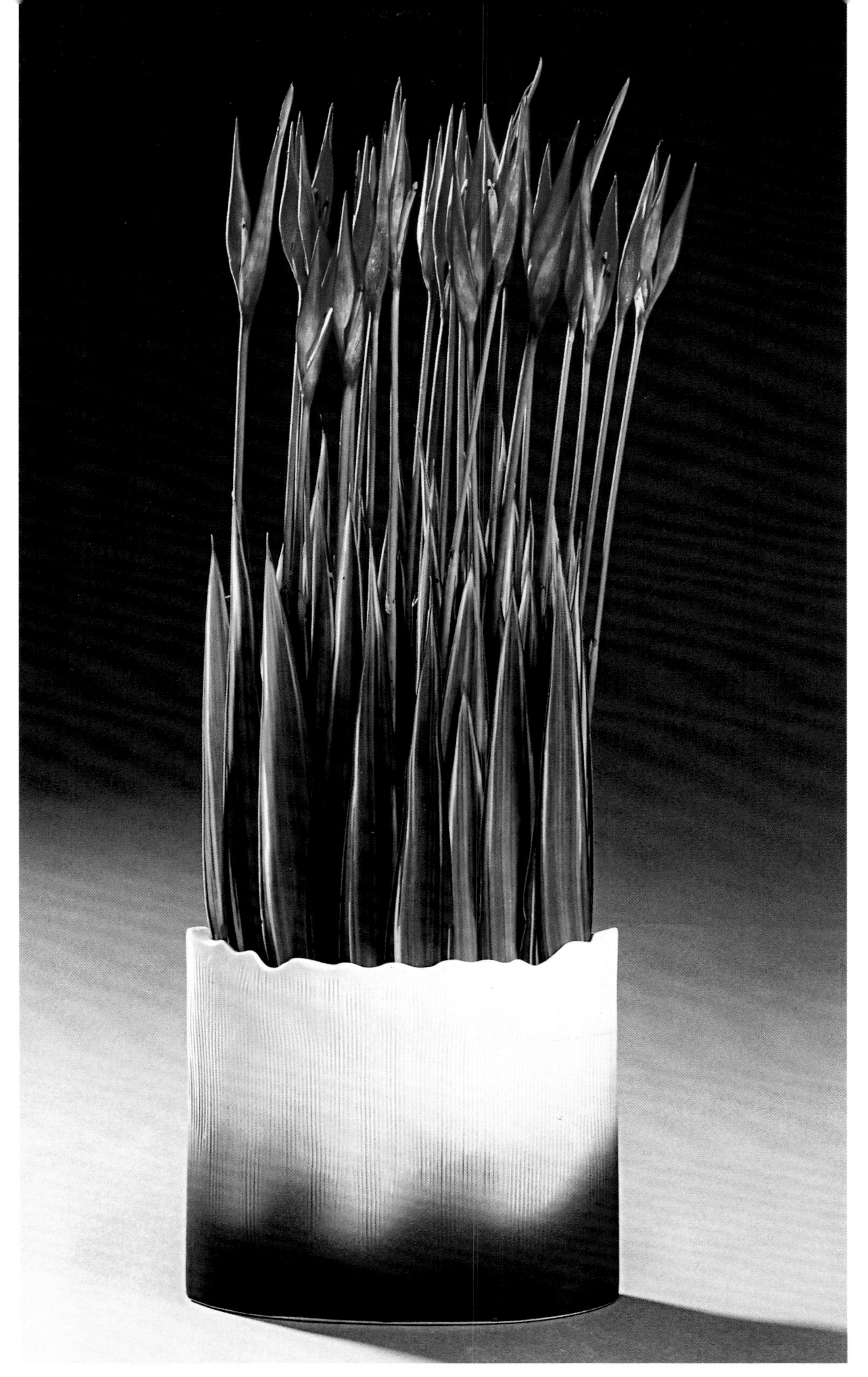

Ritmisch minimalisme

In de strakke smalle vaas groeit een uit twee lagen bestaande vorm, blad met daarboven *Heliconia*-bloemen. Hierdoor is rust en harmonie ontstaan. Gebruikte materialen: *Heliconia* en *Phormium tenax.*

Rhythmic Minimalism

The narrow austere looking vase is the base from which two layers seem to grow, the foliage below and the *Heliconia* flowers above, thereby creating rest and harmony in the composition. Materials used are: *Heliconia* and *Phormium tenax*.

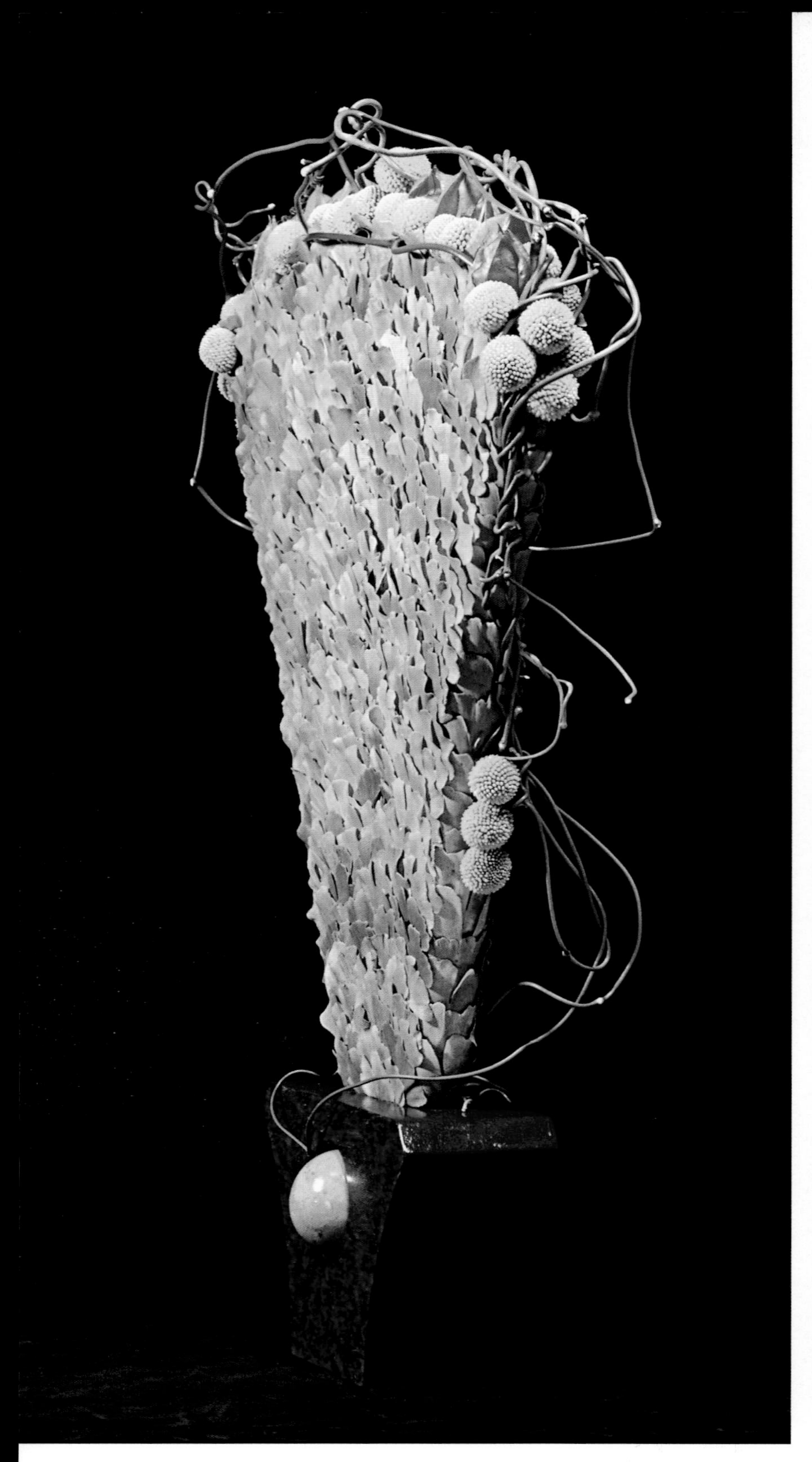

Driehoek

Deze driehoekige platte waaiervorm heeft een radiale plaatsing van elkaar overlappende blaadjes.
De vormgeving kenmerkt zich door een schubbenstructuur en wordt
bekroond door de decoratieve materiaalplaatsing aan de top en de zijkanten.
Gebruikte materialen: houten ondergrond, houten bal, styrophoam, *Gingko biloba, Craspedia globosa, Aristolochia macrophylla, Physalis.*

Triangle

This triangular flat fan shaped design features a radial positioning of overlapping leaves. The design form distinguishes itself through the scale like structure, which is crowned by the decorative material placement at the top and sides.
Materials used are: Wooden base, wooden ball, styrofoam, *Gingko biloba, Craspedia globosa, Aristolochia macrophylla, Physalis.*

ZONDER GRENZEN

The sky is the limit

Een gezegde dat opgaat als creatieve mogelijkheden oneindig zijn. De bloemsierkunst biedt ons deze kansen in materiaal, vormgeving, kleurgebruik en een eindeloze stijlvrijheid. Een niet te versmaden uitdaging.
Gebruikte materialen: *Dendranthema, Calluna, Sorbus aucuparia*, mos.

UNLIMITED HORIZONS

The Sky Is The Limit

A typical proverb, which suggests that creative opportunities are unlimited. Floral art offers us all these chances in material, design, use of colour, and unlimited freedom in expressing our styles of design. A challenge not to be taken lightly.
Materials used: *Dendranthema, Calluna, Sorbus aucuparia*, moss.

Tulpenfeest

Op een houten basis van drie plateaus is een bindsel gemaakt van elzentakken. Bovenop staat een schaal met Oasis. Op een losse elegante wijze zijn de bloemen geschikt.
Gebruikte materialen: *Alnus glutinosa, Tulipa* parkiettulp, *Zantedeschia, Skimmia japonica, Hedera.*

Tulip Festival

A binding of Alder branches is fastened to a three level wooden base. A bowl of Oasis is positioned on top. The tulips are then arranged in a casual and elegant manner.
Materials used are: *Alnus glutinosa, Tulipa* Parrot tulip, *Zantedeschia, Skimmia japonica, Hedera.*

Schaalschikking

Schikking in een fraaie Mobach-schaal. Hopranken zijn tot een krans gevlochten en in de schaalrand gelegd. Tussen de ranken door zijn bloemen en blad naar het water gestoken. Op deze wijze fungeert het vlechtsel als decoratief steunmateriaal. Van opzij gezien, zoals op de foto, is het effect nog aparter. Een milieuvriendelijke techniek met vele interessante mogelijkheden.
Gebruikte materialen: *Rosa, Zantedeschia, Eustoma (Lisianthus), Galax urceolata, Carthamus, Clematis, Pyracantha, Physalis, Hedera, Asparagus.*

Dish Arrangement

A beautiful Mobach dish holds this lovely arrangement. Hops tendrils are woven into a wreath and placed on the edge of the dish. Flowers and foliage are inserted between the tendrils into the water. In this particular instance, the wreath weaving functions as a decorative support material. The effect is even more appealing when seen from the side as in this photograph. It is an environmentally friendly technique with many interesting possibilities.
Materials used are: *Rosa, Zantedeschia, Eustoma (Lisianthus), Galax urceolata, Carthamus, Clematis, Pyracantha, Physalis, Hedera, Asparagus.*

Kleurrijk kleinood

Een kleinood van gemengde materialen naar vorm, soort en kleur, verschillende richtingen bepalen het vormgevend patroon.
Gebruikte materialen: metalen bak, Oasis, *Aster ericoides, Rosa, Veronica, Crocosmia, Limonium, Aster novi-belgii, Lathyrus, Bouvardia, Papaver, Lavandula, Thymus, Asparagus, mos, Hedera, Taxus baccata* 'Fastigiata'.

A Colourful Jewel

A floral jewel of mixed materials is arranged qua form, variety and colour, and also determined the ensuing design pattern.
Materials used are: Metal tray, Oasis, *Aster ericoides, Rosa, Veronica, Crocosmia, Limonium, Aster novi-belgii, Lathyrus, Bouvardia, Papaver, Lavandula, Thymus, Asparagus,* moss, *Hedera, Taxus baccata* 'Fastigiata'.

Mickey Mouse

Door het kleur- en materiaalcontrast ontstaat een bijzonder effect. Vooral de veren plumeau geeft verrassing, maar sluit in het geheel mooi aan op de overige materialen.
Bijzondere vruchtjes zijn in de basis verwerkt, de grappige Mickey Mouse (nipple fruit) straalt vreugde en fun uit.
De blauwe glazen vaas past mooi in de totaalvormgeving.
Gebruikte materialen: glazen vaas, bamboe, takken, *Solanum mammosum, Euonymus*, geel draad, veren.

Mickey Mouse

A unique effect has been created through the contrast of material and colour. Particularly, the use of a feather duster is surprising, but complements nicely with the rest of the material. Unique fruits are used at the base of the arrangement, while the jolly Mickey Mouse (nipple fruit) radiates fun and delight. The blue glass vase fits in well in the total design.
Materials used are: Glass vase, bamboo, branches, *Solanum mammosum, Euonymus*, yellow wire, feathers.

Compositie x

Het onverwachte aan deze compositie is de eenvoud en de open constructie. Door ruimtelijk de takken aaneen te binden als een soort klimrek is een constructief interessante vorm ontstaan, eenvoudig, maar met een eigen karakter.
De beperking van de materialen versterkt de vormgeving en geeft het een eigen identiteit.
Gebruikte materialen: aardewerk vaas, Oasis sec, takken, zaden, raffia, sisal.

Composition x

This composition shows unsuspected simplicity and open construction. The branches have been tied in a spacious manner, resulting in an interesting, constructive form, similar to a climbing frame. They are simply bent, but developed their own characteristics. The limitation and restraint of the material enhances the design and gives it its own identity.
Materials used are: Pottery vase, Oasis sec, branches, seeds, raffia and sisal.

Speels groeisel

Schikking in een houten bak met grint. De tulpen rijzen op uit het weefsel van ranken en blad, overhuifd door elegante klokjesbloemen.
Gebruikte materialen: houten bak, Oasis, *Tulipa* 'Monarch', *Blandfordia nobilis*, *Hedera*, wilde ranken.

Spontaneous Growth

A wooden tray, filled with gravel, is used for this arrangement. Tulips rise through the weavings of tendrils and foliage, and are sheltered by the elegant Bell flowers.
Materials used are: Wooden tray, Oasis, *Tulipa* 'Monarch', *Blandfordia nobilis*, *Hedera*, wild tendrils.

Weelderig gevarieerd

Weelde en variatie aan vormen, bessen en de volheid van de Hollandse herfst zijn in dit rijk geschakeerde arrangement samengebracht. De vormgeving is alzijdig en asymmetrisch. Gebruikte materialen: aardewerk pot, rozenbottels, *Hedera, Taxus baccata* 'Fastigiata', *Hypericum, Anthurium, Polygonum aubertii, Rudbeckia purpurea,* conifeer, *Hydrangea, Cucurbita, Clematis, Humulus.*

Luxuriant variety

Lush vegetation and a variety of forms, berries and the opulence of the Dutch autumn are translated in this spontaneous and varied arrangement. The design is all round and asymmetric. Materials used are: Eartenware jardinier, rose hips, *Taxus baccata* 'Fastigiata', *Hedera, Hypericum, Anthurium, Polygonum aubertii, Rudbeckia purpurea,* conifer, *Hydrangea, Cucurbita, Clematis, Humulus.*

Ikenobo-vaas 'anders'

Deze bronzen vaas wordt veelal voor klassieke Rikka-schikkingen gebruikt. De compositie met als uitgangspunten massa en textuur zorgt voor een onverwacht en massief contrast. Binnen het massieve kader zien we detaillering en kleine subtiele contrastjes.
Gebruikte materialen: Oasis, mos, *Callicarpa, Chamaecyparis obtusa* 'Nana Gracilis', *Pinus strobus, Limonium, Asparagus densiflorus* 'Meyers', *Asparagus virgatus, Dianthus, Rosa* 'Florence', *Aster novi-belgii,* Dekofaser, veren.

Ikenobo Vase 'Distinctly Different'

This traditional bronze vase is mostly used for the classic Rikka arrangement. The composition of mass and texture shows an unexpected massive contrast.
Within this massive frame work we see an abundance of interesting detail and subtle contrasts.
Materials used are: Oasis, moss, *Callicarpa, Chamaecyparis obtusa* 'Nana Gracilis', *Pinus strobus, Limonium, Asparagus densiflorus* 'Meyers', *Asparagus virgatus, Dianthus, Rosa* 'Florence', *Aster novi-belgii,* Dekofaser, feathers.

Componistenvaas

Uit de subtiele zeer exclusieve Mobach-vaas, één uit de serie componistenvazen, ontspringt een sierlijk bindsel dat zich vervlecht tot een grillige lijnconstructie met als decoratief element de afhangende kokertjes van *Galax*-blad.
Gebruikte materialen: *Betula, Galax urceolata,* gedroogde zaaddoosjes, lint, koperdraad.

Composers' Vase

From this simple, but very exclusive Mobach vase, one out of the composer series, rises a graceful binding which weaves itself into a whimsical line construction. Suspended from this construction are the funnel shaped *Galax* leaves.
Materials used are: *Betula, Galax urceolata,* dried seed capsules, ribbon, copper wire.

Boogvorm

Schikking in een metalen bak. Vlechten en kruisen van takken, steun zoeken voor de stelen van de vuurpijlen. Grillige ranken van de hop zijn als een brug gespannen. De extravagante compositie leidt tot een eigentijdse en creatieve schikvorm. Twee opties als idee: kruis de stelen zoals hier gedaan, of laat ze van twee zijden in de boog meelopen, het zal een totaal verschillend resultaat opleveren. Gebruikte materialen: *Humulus lupulus, Asparagus setaceus, Kniphofia.*

Arch Form

This arrangement designed in a metal tray uses twigs, the braiding and crossing techniques as a support for the stems of the red hot pokers. The whimsical tendrils of the hops are stretched across like a bridge. The extravagant composition precedes us to a contemporary and creative design. Two options for an idea: Cross the stems as has been done to the arrangement above, or use the stems from each side following the lines into the arch. The result will be totally different. Materials used are: *Humulus lupulus, Asparagus setaceus, Kniphofia.*

Grafisch kruisende lijnen

Kruisende lijnen waren streng verboden toen ik mijn eerste vakopleiding volgde. Vandaag de dag is modern bloemschikken verweven met kruisende lijnen in alle denkbare compositievormen. Tijden veranderen en bieden nieuwe mogelijkheden. Hier zijn zowel het lineaire als het parallelle sterk aanwezig en leiden tot een grafisch geheel. Gebruikte materialen: houten bak met polyester bedekt, *Heliconia veneruda, Strelitzia, Hydrangea, Galax urceolata, Echinacea purpurea, Vriesea,* mos, stones.

Graphic Crossing Lines

Crossing lines was not allowed when I first started my floristry career. Today, modern flower arranging is interwoven with crossing lines in all imaginable composition forms. Time changes and opens up new possibilities. In this arrangement the linear as well as the parallel lines are strongly represented, and leads to a graphic whole. Materials used are: Wooden tray covered with polyester, *Heliconia veneruda, Strelitzia, Hydrangea, Galax urceolata, Echinacea purpurea, Vriesea,* moss, stones.

Grafisch elegant

De lijnvoering en het spel van richtingen en lege ruimte leidt tot een interessant samenspel van de toegepaste materialen. Grafische vormgeving kenmerkt zich door een sterk effect van lijn of vlak. Hier is tevens gekozen voor een contrastrijke feestelijke kleurencombinatie tussen het blitze oranje en het rustgevende groen en grijs. Het alzijdig asymmetrische arrangement is geschikt in een metalen bak en Oasis.
Gebruikte matererialen: De heel bijzondere Florence *Gerbera* 'Magic Ball', *Zantedechia, Leucospermum,* green sticks, *Anthurium*-blad, *Ficus*-luchtwortels, *Galax urceolata, Asparagus falcatus, Ligustrum*-bes, *Rosmarinus, Euphorbia,* zand en lavasteen.

Graphic Elegance

The handling of line, the interplay of directions and vacant space leads to an interesting interaction between the materials used. Graphic design identifies itself through the strong effects of line and plane. In this arrangement I chose for a contrasting festive colour combination between the brilliant orange and the quiet tones of green and grey. The all round arrangement is designed in a metal tray and Oasis.
Materials used are: The very unique Florence *Gerbera* 'Magic Ball', *Zantedeschia, Leucospermum,* green sticks, *Anthurium* foliage, *Ficus* aerial roots, *Galax urceolata, Asparagus falcatus, Ligustrum* berry, *Rosmarinus, Euphorbia,* sand and lava rock.

Colofon/Colophon

Met dank aan/Acknowledgements:
Smithers Oasis
Vaban ribbons International
Mobach, Utrecht
Molca-design
Cor van de Ende, bloemist, 's-Gravenzande
Tuincentrum Vollering, Delfgauw
Hanneke Maassen, Rijswijk
Kuo Su Ling, Taiwan

Literatuur/Bibliography:
Andere boeken geschreven door Aad van Uffelen:
Other books by Aad van Uffelen:
Uitgeverij Terra:
Bloemschikken voor de Winterse Feestdagen
Moderne Bloemsierkunst
Handgebonden boeketten
Bloemrijke schikkingen
Uitgeverij Kosmos Zomer & Keuning:
Bloemsierkunst
Creatieve bloemsierideeën
Verklarend woordenboek bloemschikken
Creatief Bloemschikken met Anthurium
Symbolische bloemsierkunst
Alles over lint
Teleflora Nederland:
Bruidsbloemen
Rouwbloemen
Aad van Uffelen:
De Japanse Watertuin

Adressen/Adresses:
Internet site Aad van Uffelen:
www.flowerworld.nl
www.aadvanuffelen.com

European Floral Design Academy (EFDA)
Zandlaan 18, 6717 LP, Ede
tel (+31)318 - 52 75 68, fax (+31)318 - 54 22 66
e-mail: info@vbw-groenplein.nl

Bloemen Bureau Holland
Schipholweg 1, 2316 XB, Leiden
tel (+31)71 - 595 95 55, fax (+31)71 - 595 95 65
www.bbh.nl

ISBN 90 6255 949 2
 Uitgeverij/Publisher: Terra Publishing, Warnsveld
www.terraboek.nl (or: www.terrabook.com)

Fotografie/Photography:
Aad van Uffelen:
pag. 2, 9, 34, 35, 39, 118, 119, 120, 122, 123, 125, 131, 143.
Sudipa, 676 Ming Cheng 3 Road, Kaohsiung, Taiwan ROC:
pag. 49, 70, 71, 121, 132, 133.
Jan van der Loos, Huis ter Lucht 14, 3155 EB Maasland:
overige 77 foto's/other 77 photo's

Vormgeving/Design and lay-out:
Nicolette Barenbrug, Fool Color, Haarlem

Druk/Printed by:
Tesink bv, Zutphen